GULLIVER

5527

Die *Geschichte der Wirtschaft* wurde mit dem
Deutschen Jugendliteraturpreis ausgezeichnet.

Nikolaus Piper, geboren 1952 in Hamburg, Dipl. Volkswirt, berichtet
für die Süddeutsche Zeitung aus New York. Er veröffentlichte verschiedene Sachbücher zum Thema Wirtschaft und wurde mit dem
Vogel-Preis für Wirtschaftspublizistik, dem Quandt-Medienpreis und
dem Ludwig-Erhard-Preis ausgezeichnet. Bei Beltz & Gelberg erschien von Nikolaus Piper auch der Roman *Felix und das liebe Geld*.

Geschichte der Wirtschaft

erzählt von Nikolaus Piper

Mit Bildern von Aljoscha Blau

EIN **GULLIVER** VON **BELTZ & GELBERG**

www.gulliver-welten.de
Gulliver 5527
© 2002/2005, 2007 Beltz & Gelberg
in der Verlagsgruppe Beltz· Weinheim Basel
Alle Rechte vorbehalten
Lektorat: Frank Griesheimer
Neue Rechtschreibung
Markenkonzept: Groothuis, Lohfert, Consorten, Hamburg
Einbandtypographie: Max Bartholl
Einbandbild: Aljoscha Blau
Gesamtherstellung: Druck Partner Rübelmann, Hemsbach
Printed in Germany
ISBN 978-3-407-75527-8
1 2 3 4 5 11 10 09 08 07

Inhalt

Vorwort 7

Landwirtschaft *Wie alles anfing* 9

Arbeitsteilung *Warum Kain den Abel erschlug* 16

Handel *Geschenke und Gegengeschenke* 20

Macht *Räuber, Schmiede, Könige* 24

Verträge *Die Tontafeln der Sumerer* 28

Geld *Krösus, Midas und die Münzen* 31

Privateigentum *Perikles und die Demokratie* 35

Recht *Roms Erbe* 40

Arbeit *Von Spartakus zu Benedikt* 43

Marktplätze *Treffpunkte und Preise* 48

Doppelte Buchführung *Luca Pacioli und die Araber* 54

Uhren *Ordnung für die Zeit* 58

Gewürze *Wege nach Indien* 62

Eroberung *Das Erbe des Christoph Kolumbus* 65

Sklavenhandel *Afrikas Katastrophe* 71

Wechsel *Geschäfte mit dem Risiko* 77

Kapital *Die Fugger* 82

Die Börse *Messen, Aktien, Tulpen* 89

Der Staat *Ludwig XIV. und sein Finanzminister* 95

Der Kreislauf *Der Leibarzt der Madame Pompadour* 102

Die unsichtbare Hand *Adam Smith* 107

Die Fabrik *James Watt und die Dampfmaschine* 112

Banken *Der Aufstieg der Familie Rothschild* 117

Arbeiter *Oliver Twist und Karl Marx* 123

Unternehmer *Pioniere und Aktiengesellschaften* 131

Konsum *Die Blechliesel und die Demokratisierung des Luxus* 137

Imperialismus *Almayers Wahn* 144

Die große Krise *Krieg, Inflation und Arbeitslosigkeit* 151

Die falsche Hoffnung *Lenin, Stalin und die Planwirtschaft* 161

Der Wettbewerb *Ludwig Erhard und die soziale Markt
wirtschaft* 167

Weltordnung *George Marshall, Bretton Woods und der
Sozialstaat* 173

Volksheim *Der Aufstieg und die Krise des Wohlfahrtsstaats* 177

Management *Die Kunst, ein Unternehmen zu führen* 185

Globalisierung *Vietnam und die Finanzmärkte* 190

Prometheus *Ein Blick in die Zukunft* 197

Sachregister 202

Namenregister 206

Vorwort

Die Wirtschaft ist nur *ein* Teil des menschlichen Lebens, aber sie ist heute allgegenwärtig. Wirtschaftsthemen kommen ganz oben in den Nachrichtensendungen des Fernsehens und in den Zeitungen. Die Kurse von Aktien an den Börsen steigen oder stürzen in den Keller, große Unternehmen schließen sich zusammen oder spalten sich auf, Europa hat eine neue, gemeinsame Währung bekommen. Millionen von Menschen sind arbeitslos, andere gelangen über Nacht zu sagenhaftem Reichtum. Einige Länder erfreuen sich wachsenden Wohlstands, andere sind bettelarm und versinken im Chaos.

Das alles hat mit Wirtschaft zu tun. Aber was nun Wirtschaft genau ist, das lässt sich nicht so leicht beschreiben. Börsen und Geld, Fabriken und Computer, das alles gehört zwar zweifellos zur Wirtschaft, aber es macht noch nicht ihr Wesen aus. In unserem deutschen Wort »Wirtschaft« steckt der »Wirt«, womit man vor ungefähr tausend Jahren nicht nur den Besitzer eines Gasthauses, sondern ganz allgemein einen Gastfreund oder Hausherrn bezeichnete. Früher hatte sich der Hausherr um das Wohlergehen seines Hausstands und aller, die dazugehörten, zu kümmern; heute ist Wirtschaft »die Gesamtheit aller Einrichtungen und Maßnahmen zur Deckung des menschlichen Bedarfs an Gütern und persönlichen Dienstleistungen«. So jedenfalls formuliert es der Duden.

Dieses Buch erzählt, wie all jene »Einrichtungen und Maßnahmen«, die wir heute Wirtschaft nennen, nach und nach entstanden sind. Viele Ereignisse aus dieser Geschichte sind uns heute sehr genau bekannt, andere können wir nur erahnen, vor allem jene aus den frühesten Zeiten, in denen die Menschen noch nicht schreiben konnten. Aber auch wenn wir beim Erzählen die Phantasie zu Hilfe nehmen müssen, können wir uns dabei doch auf verlässliche Hilfsmittel stützen: auf Ausgrabungen, auf die Untersuchung alter Bodenschichten und auf die Erfahrungen von Menschen, die noch bis in die Neuzeit in Steinzeitkulturen gelebt haben.

Unsere Vorfahren mögen sehr klein angefangen haben, doch mit ihren Erfindungen legten sie den Grundstein für die moderne Welt der Wirtschaft. Und von den Anfängen bis heute ging es darum, mit dem, was wir haben, möglichst sinnvoll zu wirtschaften. Um nichts anderes wird es auch in Zukunft gehen.

Die »*Geschichte der Wirtschaft*« hat nach ihrem ersten Erscheinen 2002 ein sehr positives Echo bei jüngeren und älteren Lesern gefunden. Für den Autor eine besondere Freude war die Auszeichnung mit dem Deutschen Jugendliteraturpreis 2003 für das beste Sachbuch. Die vorliegende Neuausgabe ist gründlich durchgesehen und wesentlich erweitert. Dabei nimmt vor allem die Wirtschaftsgeschichte des 20. Jahrhunderts einen größeren Raum ein. Die beiden Kapitel über den Sozialstaat und über den Konsum leiten direkt zu den Problemen der gegenwärtigen Wirtschaftspolitik hin. Das Kapitel über Management soll einen Einblick in die Führung moderner Unternehmen geben. Als Ergänzung zur Geschichte der Eroberung Amerikas ist ein Kapitel über die wirtschaftliche Bedeutung der Sklaverei hinzugekommen. Das Kapitel über die Rothschilds konnte dank der 2002 in Deutschland erschienenen Familienbiographie von Niall Ferguson überarbeitet und ergänzt werden. Ein Namen- und Sachregister erleichtert den gezielten Gebrauch des Buches. *Nikolaus Piper*

Landwirtschaft

Wie alles anfing

Vor 10 000 Jahren, in einer Zeit, als niemand auch nur ahnen konnte, dass es einmal so etwas wie einen Dax oder Dow Jones geben würde, lebte ein Stamm von Jägern und Sammlern in den Bergen Kleinasiens. Die Landschaft heißt heute Taurusgebirge. Es war eine kleine, unscheinbare Gruppe: Männer mit wilden Haaren, Bärten und groben Gesichtszügen, Frauen und Kinder, gehüllt in einfache Felle; ihre Haut war braun und voller Schrunden. Oberhalb des Lagerplatzes am Berghang gab es eine Höhle, die vor Wind und Wetter schützte und vor den Angriffen wilder Tiere. Vom Eingang der Höhle aus ging der Blick weit über Urwälder und grasbewachsene Hügel. Unten floss ein Wildbach vorbei, der dem Stamm immer frisches Wasser spendete und in dem die Männer mit Speeren Forellen fingen.

Wir wissen wenig über die Steinzeitmenschen, sie haben uns zwar ihre Werkzeuge, Höhlenmalereien und Grabbeigaben hinterlassen, aber sie kannten noch keine Schrift, mittels derer sie ihre Gedanken hätten überliefern können. Wir stellen uns vor, dass sie sich in ihrer Sprache einfach »die Menschen« nannten. Außer ihnen selbst gab es in den Wäldern kaum andere menschliche Wesen, und die wenigen, denen sie gelegentlich begegneten, waren für sie einfach nur »die Nicht-Menschen« oder »die Fremden«. Bei diesem Stamm trug sich nun eines Abends ungefähr Folgendes zu:

Alle Erwachsenen hatten sich um die Flammen des Lagerfeuers versammelt. Die jüngeren Männer standen und lehnten sich auf ihre Speere, die älteren hatten sich niedergelassen, Frauen stillten ihre Babys. Auf Steinen, die mit Fellen bespannt waren, saßen leicht erhöht zwei Männer, der eine mittleren Alters, der andere ein Greis mit eingefallenen Zügen und einem langen weißen Bart: der Häuptling und der Schamane des Stammes. In der Mitte des Kreises, vor dem Feuer, stand eine junge Frau. Sie hatte den Kopf gesenkt, die Schultern waren vorgebeugt. Auf ihrem Arm trug sie ein kleines Baby. »Die Lage ist sehr ernst«, sagte einer der Jäger, der einen Bogen aus Eschenholz und einer Tiersehne über der Schulter trug. »Die Jagd wird immer schlechter. Das Wild bleibt aus, selbst die Hasen machen sich rar. Ehe es Herbst wird, müssen wir weiterziehen.« Der jungen Frau warf der Mann einen finsteren Blick zu, sagte aber nichts zu ihr. Lange saßen die Männer und Frauen nun schweigend da; irgendwann murmelten einige Männer zustimmend: »Ja, so ist es. Wir müssen weiterziehen.«

Die junge Frau stand unterdessen wie versteinert da. Offensichtlich hatte das, was hier besprochen wurde, mit ihr zu tun.

Schließlich erhob der Medizinmann seine Stimme. »Der Zorn der Geister hat die Menschen getroffen. Deshalb haben die Geister das Wild vertrieben und die Fische verjagt«, sagte er. »Jemand unter uns hat sich ihrem Willen widersetzt. Und wir wissen auch, wer.« Bei seinem letzten Wort wandte der Schamane sein Gesicht der jungen Frau zu. »Und hier steht die Frevlerin«, rief er. »Gestehe, dass du die alten Regeln der Geister gebrochen hast!«

Die Frau antwortete leise, fast flüsternd, so dass man es kaum verstehen konnte: »Ich hatte Angst vor dem Hunger im Winter, vor der langen Wanderschaft. Ich hatte Angst, dass mein Kind wieder verhungert und dass ich ohne Nachkommen sterben werde.«

»Sprich weiter! Was hast du gemacht?«

»Ihr wisst doch alle selbst, dass draußen, wo unser Abtritt ist, immer sehr viel Hirse wächst.«

Die anderen nickten zustimmend. »Natürlich, das war schon immer so. Wenn wir Hirse essen, dann wächst auch im Abtritt Hirse.«

Die junge Frau fuhr mit ihrem Bericht fort: »Mir fiel auf, dass es dort, am Abtritt, besonders viele Hirsekörner gab. Von diesen Körnern habe ich so viele genommen, wie ich finden konnte, und habe sie wieder in die Erde gelegt.«

»Körner vom Abtritt ...« Die Männer schüttelten den Kopf, so als seien sie peinlich berührt: »Beschmutzte Körner ... Natürlich ... Jetzt verstehen wir alles ...«

»Und in diesem Frühjahr wuchs dort, wo ich sie in die Erde gelegt hatte, wieder frische Hirse. Ihr könnt sie selbst sehen. Sie steht ganz dicht. Bald können wir die Körner ernten.«

Der Schamane antwortete finster: »Du hast gegen die Gesetze verstoßen. Du bist schuld am Elend unseres Stammes. Seit es Menschen gibt, leben sie von dem, was ihnen die Geister schenken: dem Wild, den Fischen, den Kräutern, den Körnern und den Früchten des Waldes.«

»Aber meine Körner sind doch auch ein Geschenk der Geister«, sagte die junge Frau.

»Schweig! Du hast dich über die Geister gesetzt. Wir müssen den Makel vom Stamm tilgen. Wir werden deine Hirse ausreißen, wir werden sie verbrennen, und dann werden wir weiterziehen, ehe der Herbst beginnt.«

Wie der Schamane es wollte, so geschah es. Die Felder der jungen Frau wurden zerstört, im Herbst zogen die Menschen weiter. Es wurde eine furchtbare Wanderung, der Winter war hart und im nächsten Frühjahr kamen sie nur in karge Jagdgründe. Der Winter darauf wurde noch kälter;

oben in den Bergen blieb der Schnee bis über die Tag-und-Nacht-Gleiche hinaus liegen. Und als dann endlich das lang ersehnte Frühjahr gekommen war, hatte die Hälfte der Menschen die Wanderschaft nicht überlebt. Nun saß der Stamm an seinem neuen Siedlungsplatz wieder um ein Lagerfeuer.

Ein junger Mann erhob sich; es war der neue Schamane. In diesem Winter hatte er die Nachfolge des alten angetreten, der bei klirrendem Frost in den Bergen ums Leben gekommen war. Er hatte auch das Wurzelholz seines Vorgängers übernommen, und das richtete er nun auf die junge Frau, die damals gegen die Ordnung der Menschen verstoßen hatte. Ihre Haare waren in zwei Wintern grau geworden, sie hatte die gegerbten Gesichtszüge einer alten Frau. Wie sie es gefürchtet hatte, war ihr Baby während der Wanderschaft im Winter erfroren. »Du«, sagte der Medizinmann, »steh auf!« Die Frau erhob sich ängstlich. »Die Geister haben sich auf deine Seite gestellt; alle konnten das sehen. Vor zwei Wintern haben wir die Gräser ausgerissen, die aus deinen Samen gewachsen sind, und wir mussten schwer dafür bezahlen. Das Zeichen haben alle verstanden: Wir werden deinen Weg gehen. Alle Frauen im Stamm sollen Hirsekörner in die Erde legen, so wie du es getan hast. Sag uns, was wir zu tun haben, damit wir im Winter nicht wieder hungers sterben.«

Und dann erklärte die Frau ihren Stammesgenossen, wie sie es angestellt hatte: Auf einem Stück Land hatte sie im zeitigen Frühjahr, ehe der große Regen kam, alle anderen Kräuter ausgerissen, dann die Hirsekörner in die Erde gelegt und außerdem dafür gesorgt, dass kein neues Unkraut mehr nachwuchs. Rund um das Feld hatte sie Steine aufgeschichtet, damit der Wind die Körner nicht fortwehen konnte. Und genau so taten es nun die Frauen der Menschen; die Männer gingen nach alter Väter Sitte weiter auf die Jagd.

Die ersten Ernten waren kaum der Rede wert. Aber die Frauen verarbeiteten nur einen Teil der Körner zu Getreidebrei, der andere wurde an einem trockenen Platz aufbewahrt, so dass sie im nächsten Frühjahr noch mehr Saatgut hatten. Noch sollte es Generationen dauern, bis aus den Jägern und Sammlern richtige Bauern wurden, doch durch die zusätzliche Nahrungsquelle wurde ihr Leben sicherer, in den Wintern starben nicht mehr so viele Menschen, der Stamm wurde größer. Die einstige Frevlerin, die mit dem Hirseanbau begonnen hatte, wurde im Alter eine weise, mächtige Frau, deren Wort sich niemand im Stamm zu widersetzen wagte. Die Nachfahren verehrten sie als Göttin des Saatgutes und der Fruchtbarkeit. Der alte Medizinmann aber wurde in der Überlieferung zum Gott der Zerstörung und des Frostes.

Diese Geschichte hat sich vielleicht vor ungefähr 10 000 Jahren in der heutigen Türkei zugetragen. Natürlich ist sie erfunden, aber so ähnlich könnte es gewesen sein. Jene Epoche, in der sich die Erfindung des Ackerbaus zutrug, nennt man heute »Jungsteinzeit«, weil die Menschen damals noch nicht gelernt hatten, Metalle zu bearbeiten, und daher ihr gesamtes Werkzeug aus Stein fertigten, so wie ihre Vorfahren seit Zehntausenden von Jahren. Trotzdem veränderten sie innerhalb relativ kurzer Zeit ihre Lebensweise grundlegend: Sie ließen sich in Dörfern nieder; sie bauten Hirse, Gerste und Weizen auf Feldern an; sie hielten Pferde, Rinder, Ziegen, Schafe und Schweine als Haustiere; sie spannten Ochsen vor einen Pflug, um die Felder zu bestellen. Die Erfindung der Landwirtschaft war eine regelrechte »Umwälzung«, die »neolithische Revolution« (*Neolithikum* = Jungsteinzeit).

Diese Revolution begann in verschiedenen Gegenden der Welt ganz unabhängig voneinander. Was sie ausgelöst hat, wissen wir nicht. Vielleicht waren es Zufälle, vielleicht beobachtete tatsächlich eine Frau, dass dort, wo die Mitglieder des Stammes ihre Notdurft verrichteten, genau die Pflanzen wuchsen, von denen sie sich bevorzugt ernährten. Um 8000 vor Christi Geburt jedenfalls begann die Landwirtschaft im so genannten »fruchtbaren Halbmond« – einem Gebiet, das den Osten der Türkei, Teile Iraks, Irans, Syriens und Libanons umfasst. Etwas später begannen Menschen in Teilen Chinas, noch später in Mexiko und auf dem Gebiet der heutigen Vereinigten Staaten von Amerika, Tiere und Pflanzen zu domestizieren. Von diesen Zentren aus breitete sich die neue Methode unterschiedlich schnell um die ganze Welt aus. Im heutigen Deutschland wurden um 5000 v. Chr. die ersten Pflanzen angebaut.

Die Jäger und Sammler hatten davor im wahrsten Sinne des Wortes von der Hand in den Mund gelebt. Zwar kannten sie schon seit Zehntausenden von Jahren das Feuer, sie machten Werkzeuge, mussten sich aber sonst völlig an den Rhythmus der Natur anpassen. War die Jagd gut, war auch das Leben gut, blieb die Beute aus, musste man hungern. Die Jäger und Sammler leisteten keine »Arbeit« in unserem Sinne; sie taten das, was die Natur gerade von ihnen verlangte, mehr nicht. Alles andere wäre sinnlos gewesen. Langfristige Planung oder disziplinierte Arbeit hätten ihre Aufmerksamkeit von ihrer unmittelbaren Umgebung und deren Gefahren abgelenkt. Landwirtschaft aber funktioniert nur, wenn Bauern planvoll und bewusst für ihren Lebensunterhalt sorgen. Und genau dies heißt »wirtschaften«. Unsere Vorfahren in der Jungsteinzeit haben daher nicht nur die Landwirtschaft erfunden, nein, sie haben die *Wirtschaft* überhaupt erfunden.

Arbeitsteilung

Warum Kain den Abel erschlug

Für die neuen Bauern war das Leben zwar nicht viel leichter als bei den Jägern und Sammlern, aber richtige Hungersnöte gab es jetzt immer seltener. In guten Jahren warfen Felder und Vieh Überschüsse ab, die man frei verwenden konnte. Und diese neuen Möglichkeiten sorgten für Streit.

Über den Stamm der »Menschen« herrschte nun, viele Generationen später, ein mächtiger und angesehener Häuptling. In seiner Jugend hatte er sich Ruhm als mutiger Jäger erworben, später bewies er auch Geschick in der Landwirtschaft und in Kämpfen mit anderen Stämmen. Als Zeichen seiner Macht hatte er vier Frauen; zusammen bewirtschaftete die Familie Äcker und hielt Herden mit Schweinen und Ziegen. Seine erste Frau hatte dem Mann zwei Söhne geboren. Beide waren klug, stark und mutig, aber nur einer von beiden würde eines Tages Oberhaupt der Familie werden können. Und weil sie das wussten, stritten die beiden Brüder von klein auf; sie prügelten sich und missgönnten sich den Erfolg bei der Jagd.

Als sie im Mannesalter waren, rief der Häuptling seine beiden Söhne zu sich und sagte: »Seit ihr beide laufen könnt, kämpft ihr gegeneinander. So kann das nicht weitergehen, daher habe ich Folgendes beschlossen: Ihr beide werdet euch trennen, so dass ihr euch bewähren könnt, jeder für sich.«

Der Häuptling wandte sich an den Älteren: »Du übernimmst unsere Felder, du sorgst dafür, dass die Saat nach altem Brauch ausgebracht wird, du wachst über das wachsende Korn und kümmerst dich um Ernte und Speicher.«

Dann wandte er sich an seinen jüngeren Sohn: »Und dir sollen die Herden unterstehen. Du wirst Sorge tragen, dass die Schweine zu fressen haben, du wirst die Ziegen vor den Wölfen schützen, du wirst im Herbst, wenn es ans Schlachten geht, die anderen Männer aus dem Dorf beaufsichtigen.«

Die beiden jungen Männer teilten sich also die Arbeit, so wie ihr Vater es gewollt hatte. Der Ältere wurde Bauer, der Jüngere Hirte. Doch die Hoffnung, dass nun Friede einkehren würde, erfüllte sich nicht. Im Gegenteil: Der Ältere setzte seinen Bruder, den Hirten, vor den anderen Männern im Dorf herab. Einer, der sich nur mit Schweinen und Ziegen abgebe, könne unmöglich Häuptling werden. Der Jüngere trieb seine Herden auf die Felder des Bruders, so dass sie verwüstet wurden. Eines Abends nun fiel die Entscheidung: Beim gemeinsamen Nachtmahl setzte der Vater den jüngeren Bruder an den Ehrenplatz zu seiner rechten Seite. Als das Fleisch der jungen Ziege über dem Feuer gar war, riss der Vater das beste Stück Lende aus der Seite des Tieres und reichte es mit beiden Händen dem Hirten. Alle Anwesenden wussten jetzt: Der Hirte war zum Nachfolger des Häuptlings auserkoren.

Der ältere Bruder glühte vor Hass. Am nächsten Tag lockte er den Bruder in einen Hinterhalt und erschlug ihn mit einem Feldstein. Das Verbrechen wurde schnell ruchbar; doch sein Vater entschied, dass der Mörder nicht getötet wurde. Stattdessen wurde der Bauer verbannt; er verließ das Dorf und wurde nie wieder gesehen.

Auch diese Geschichte ist erfunden. Aber sie mag dem einen oder anderen bekannt vorkommen. In der Bibel (*1. Buch Mose, Kapitel 4*) wird der Bruderzwist zwischen Kain und Abel erzählt, den Söhnen des ersten Menschen-

paares Adam und Eva. Der Bauer Kain erschlägt darin den Hirten Abel, weil Gott dessen Brandopfer annimmt, sein eigenes aber nicht. Niemand weiß natürlich, ob es bei dieser uralten Geschichte, die von Eifersucht und der Verzweiflung vor Gottes Allmacht handelt, wirklich auch einen wirtschaftlichen Hintergrund gab. Dies läge aber nahe: Die höheren Erträge aus Ackerbau und Viehzucht erlaubten es den Bauern und Hirtenvölkern nicht nur, ein sichereres Leben zu führen. Sie hatten nun die Möglichkeit, sich auf bestimmte Tätigkeiten zu *spezialisieren*. Die einen gingen weiter auf die Jagd, die anderen bestellten die Felder, die dritten hüteten das Vieh. Erste *Berufe* bildeten sich heraus: Hirten, Bauern, Jäger, vielleicht schon Zimmerleute und Fischer. Die Erfindung der *Arbeitsteilung* erhöhte den Wohlstand weiter. Wie das funktioniert, hat bereits der griechische Philosoph *Xenophon* (430 – 355 v. Chr.) beschrieben: »*Nun ist es aber unmöglich, dass ein Mensch, der vieles macht, alles gut macht. Es ist aber zwingend, dass der, der auf einem kleinen Gebiet arbeitet, seine Arbeit am besten kann.«*

Xenophon hat ein Buch über den Betrieb eines Landgutes (griechisch: *oikos*) verfasst, das den Titel »*Oikonomeia*« trägt, worauf der moderne Begriff *Ökonomie* als Bezeichnung für die *Wirtschaft* zurückzuführen ist.

Indem Arbeitsteilung Wohlstand schafft, sorgt sie auch für Streit und Missgunst. Das ist das Drama der beiden Häuptlingssöhne beim Stamm der »Menschen«. Sobald nämlich nicht mehr alle das Gleiche machen, merkt man die Unterschiede zwischen den Einzelnen viel deutlicher. Wenn es insgesamt mehr zu verteilen gibt, dann hat es viel größere Auswirkungen, ob jemand tüchtig ist oder faul, tollpatschig oder geschickt, sanftmütig oder brutal. Nicht nur Fleiß und Geschick bringen einen größeren Ertrag als früher, sondern auch Betrug, Habgier und Herrschsucht.

Weil der Ertrag der Arbeit stieg, konnte man einzelne Menschen sogar mit Tätigkeiten beschäftigen, die überhaupt nichts mit dem nackten Überleben zu tun hatten: Künstler zum Beispiel, Sterndeuter und Priester, aber auch Könige, Diener und Soldaten. Durch die Erfindung der Arbeitsteilung wurden Kultur, Wissenschaft und Kunst überhaupt erst möglich – aber eben auch Herrschaft und Unterdrückung. Hier zeigt sich das Doppelgesicht des Fortschritts: Die Menschen lernen Methoden, um ihr Leben leichter und schöner zu machen, und manche nutzen diese Methoden dann gegen andere Menschen.

Handel

Geschenke und Gegengeschenke

Der Stamm der »Menschen« wuchs und gedieh. Bauern bauten Hirse und Gerste an, Hirten kümmerten sich um Ziegen und Schafe und ein Teil der Männer ging weiter auf die Jagd wie zu Urzeiten. Eines Tages brachten Jäger etwas Erstaunliches mit, einen Gegenstand, wie ihn noch niemand gesehen hatte: Hoch und bauchig seine Form, von weitem sah er aus, als sei er aus Sand, fasste man ihn aber an, dann war er hart wie Stein. Außerdem war er kunstvoll mit Zickzacklinien verziert.

Diesen Krug hatten die Männer am Rande eines Dorfes gefunden, sieben Tagesmärsche entfernt, am Ufer des großen Salzwassers. Dort siedelten seit geraumer Zeit Fremdlinge, die offenbar geheimnisvolle Künste beherrschten. Die »Menschen« kannten bis dahin kein Geschirr außer Tierschädeln und Holzschalen. Nun, da sie in den Besitz eines Kruges gekommen waren, entdeckten sie dessen Nutzen schnell: Man konnte darin Wasser transportieren, die Milch der Ziegen und Schafe sammeln und Vorräte aufbewahren. Aber wie sollte man in den Besitz solcher Krüge kommen? Die Fremdlinge galten als kühne Krieger; niemand wagte, sie einfach zu überfallen. Da hatte der Schamane eine Eingebung: »Wir werden den Fremdlingen etwas schenken. Vielleicht schenken sie uns dann zum Ausgleich ein paar von ihren Krügen.«

Der Häuptling zweifelte: »Was sollen wir ihnen denn schenken? Und woher weißt du, dass sie unsere Bräuche kennen?«

»Wir werden ihnen etwas schenken, was wir im Überfluss

haben: Felle«, sagte der Schamane. »Felle von Schafen und Felle von Ziegen. Sie werden das Geschenk annehmen, denn unten am großen Salzwasser haben sie nur schlechte Weidegründe.«

Fünf mutige Männer wurden losgeschickt, jeder mit einem Packen Felle auf den Schultern. Nach sieben Tagen erreichten sie das Meeresufer; sie warteten im Unterholz, bis es dunkel war, und legten dann ihre Felle auf einen Felsen, nicht weit vom Dorf der Fremdlinge entfernt. Das Geschenk beschwerten sie mit ein paar Feldsteinen. Dann zogen sie sich zurück und verbrachten die Nacht im Dickicht. Am nächsten Tag kehrten sie zurück, nur um festzustellen, dass die Felle nach wie vor an ihrem Platz lagen. Auch am nächsten Morgen hatte sich nichts getan. Am dritten Tag jedoch bemerkten die Jäger eine Veränderung: Ungefähr die Hälfte der Felle war verschwunden. Dafür lagen auf dem Stein – Fische, ein ansehnlicher Berg fremdartiger roter Fische.

Den Männern waren die Fische unheimlich. Sie sahen ganz anders aus als jene, die sie in den Flüssen des Berglandes fingen. Ob man die überhaupt essen konnte? Ob es vielleicht eine Falle war? Die Männer ließen die Fische liegen, wohl wissend, dass sie dann am Abend verdorben sein würden, und warteten weiter. Am vierten Morgen schließlich hatten die Jäger Erfolg: Die Fische waren von dem Stein verschwunden, auch die übrigen Felle waren weg. An deren Stelle standen zwei große Tonkrüge und drei Schüsseln – genau das, was der Stamm haben wollte. In Hochstimmung brachten die Jäger ihre Beute ins Dorf zurück.

So entstand aus Geschenk und Gegengeschenk der erste *Handel*. Und nachdem es einmal funktioniert hatte, brachten die Männer des Stammes ihre überschüssigen Felle immer wieder an den Felsen am Meer. Irgendwann wagten sie es auch, den Fremdlingen von Angesicht zu Angesicht gegenüberzutreten. Diese sprachen zwar eine ihnen völlig fremde Sprache, aber mit Gesten und Mimik konnten sie sich verständigen, wenigstens über die Waren, die sie austauschen wollten, und über den richtigen Preis. Die »Menschen« und die Fremdlinge begannen zu *feilschen*.

Seit Urzeiten haben die Menschen schon Handel untereinander getrieben, vielleicht sogar schon ehe die Landwirtschaft erfunden war. In uralten Gräbern in Deutschland etwa wurden Tonscherben und Schmuckstücke aus Griechenland gefunden, das Tausende von Kilometern entfernt liegt. Dass der erste Warenaustausch zwischen Stämmen so ähnlich begonnen haben muss wie in unserem Beispiel mit den Fellen und den Krügen, wissen wir aus alten Schriften. Der griechische Geschichtsschreiber *Herodot* (490 – ca. 425 v. Chr.) schilderte, wie die Karthager zu seiner Zeit Handel mit Steinzeitvölkern in Nordafrika trieben: Die Seefahrer gingen irgendwo an Land und legten ihre Waren ans Ufer. Dann zogen sie sich auf ihre Schiffe zurück und zündeten Rauchsignale an. Sobald die Bewohner des Landes dies sahen, kamen sie und legten Gold zu den Waren. Wenn die Karthager mit der Menge des Goldes zufrieden waren, nahmen sie es mit und fuhren davon; wenn nicht, warteten sie so lange, bis die Gegenleistung stimmte.

Mit dem Übergang zum Handel dehnten die Menschen die Arbeitsteilung über die Grenzen ihres Stammes aus, ohne sich natürlich dessen bewusst zu sein. In Form der Felle stellten sie ihre Arbeit den Fremdlingen zur Verfügung, zum Ausgleich profitierten sie von der Arbeit der anderen in Gestalt von Tonwaren, und zwar ohne dass sie ihnen die Dinge mit Gewalt wegnehmen mussten. Beide

Seiten hatten etwas von dem Austausch, deshalb kam er freiwillig zustande. Durch das Feilschen ergab sich ein Verhältnis von Fellen zu Krügen, das beide Seiten als angemessen betrachteten: Die Felle waren der *Preis* für den Krug. Aus Geschenk und Gegengeschenk wurden so *Leistung* und *Gegenleistung*. Die einen jagten mehr Felle, als sie für sich selber brauchten, die anderen stellten mehr Krüge her. Beide Seiten spezialisierten sich weiter, die Arbeitsteilung vertiefte sich.

Macht

Räuber, Schmiede, Könige

Nicht mit allen Waren ließ sich in der Jungsteinzeit handeln, Milch zum Beispiel oder Vieh waren – ohne Lastwagen und Kühlanlagen – für den Transport über weite Strecken nicht geeignet. Handelbare Waren mussten klein sein, haltbar und relativ wertvoll, damit sich die Anstrengung und die Gefahren einer weiten Reise lohnten. Edelsteine etwa waren ein beliebtes Handelsgut, auch Gold und Töpferwaren. Im heutigen Syrien fand man grünen Malachit und blauen Azurit und handelte damit. Vermutlich beim Graben nach weiteren Edelsteinen stieß man auf Kupfererze, aus denen man reines Kupfer schmelzen konnte. Die Metallschmelze wurde bereits im 7. Jahrtausend vor Christus entdeckt, der Beruf des Schmieds entstand.

Bald lernte man, andere Metalle zu verarbeiten; in Mesopotamien, dem heutigen Irak, vermischten Schmiede Kupfer mit Zinn und erhielten so Bronze. Diese Legierung war wesentlich härter als reines Kupfer und ließ sich für Werkzeuge und Waffen verwenden. Damit ging die Jungsteinzeit zu Ende und die Bronzezeit begann. Bronze ließ sich aber nicht nur gut handeln, es machte auch Handel *notwendig:* Bronze und Zinn kamen nicht immer an denselben Orten vor; wer beides verwenden wollte, musste also mit anderen in Austausch treten. In der Bronzezeit wurde zum Beispiel schon Zinn aus England auf dem europäischen Kontinent gehandelt.

Wenn Menschen handeln, dann werden sie unabhängiger von dem Land, auf dem sie wohnen. Man muss nicht mehr unbedingt dort bleiben, wo es alle zum Überleben notwendigen Dinge gibt. Das hatte Auswirkungen darauf, wo und wie die Völker siedelten. In den Hochlagen der Gebirge zum Beispiel sind die Böden schlecht und die Winter hart. Getreide lässt sich dort nicht anbauen, wohl aber kann man Ziegen und Schafe halten. Um ihr Leben zu verbessern, lernten die Bergbewohner, Fleisch und Milch in handelbare Produkte umzuwandeln – sie erfanden die Salami und den Käse. Getrocknetes und gesalzenes Fleisch, gesäuerte und entwässerte Milch ließen sich wochen- und monatelang aufbewahren und transportieren. Diese Waren konnte man gegen andere Dinge, die man zum Leben brauchte, eintauschen.

Der Handel machte es auch möglich, dass mehr Menschen auf einem Fleck wohnten. Im 4. Jahrtausend vor Christus wanderte das Volk der Sumerer ins Zweistromland (»Mesopotamien«) zwischen den Flüssen Euphrat und Tigris ein und gründete dort die ersten befestigten *Städte*. Die Städte brauchten Steine und Holz für Häuser, Tempel und Paläste, Waren, die von weit her geliefert werden mussten. Landwirtschaft in den Flussoasen zu betreiben war schwierig: Im Frühjahr drohten Hochwasser, im Sommer und Herbst herrschte Dürre. Die Sumerer entwickelten ein kompliziertes Bewässerungs- und Kanalsystem, das wiederum ein ebenso ausgeklügeltes System der Wartung und der Verwaltung nötig machte – und mit ihr ein gesellschaftliches Gebilde, das diese Verwaltung trug und das man mit dem modernen Wort *Staat* bezeichnen kann.

Die Sumerer organisierten sich in mehreren dieser Staaten. Jeder hatte einen König an der Spitze und eine Verwaltung, die dem König diente und das Land beherrschte. Die Könige unterhielten ihre Beamten und ihren Hofstaat mit den Überschüssen, die Landwirtschaft und Handel erwirtschaf-

teten. Bauern, Händler und Handwerker wurden gezwungen, aus ihren Erträgen Abgaben zu entrichten, es waren die
ersten *Steuern*.

Wie kam es aber, dass sich Menschen überhaupt Königen
unterwarfen und ihnen vom Ertrag ihrer Arbeit abgaben?
Genau weiß das bis heute niemand. Doch der amerikanische
Ökonom Mancur Olson (1932 – 1999) hat dafür eine sehr
anschauliche Erklärung gegeben: Stellen wir uns einen ganz
normalen Räuber vor - wenn er sein Opfer überfällt, nimmt
er ihm so viel ab, wie er kann, und zeigt keinerlei Interesse
an dessen Wohlergehen. Warum sollte er auch? Ganz anders
eine Mafia-Familie, die ein ganzes Stadtviertel beherrscht:
Sie will dauerhaft von der Schutzgelderpressung leben. Also
wird sie, wenn sie sich vernünftig verhält, ihren Opfern nur
so viel abpressen, dass diese in der Lage sind, auch künftig
Schutzgeld zu erwirtschaften. Aus Sicht des Opfers hat die

Herrschaft eines »niedergelassenen Räubers« eindeutige Vorteile gegenüber einem Zustand, in dem man immer wieder von »vagabundierenden Räubern« überfallen wird.

In genau dieser Situation befanden sich die Völker Mesopotamiens zur Zeit der Sumerer. Wegen ihrer Erfolge mit Landwirtschaft und Arbeitsteilung gab es bei ihnen viel zu rauben, sie waren also immer wieder Opfer von Überfällen benachbarter Völker. Die Unterdrückung durch die sumerischen Könige – im übertragenen Sinne also »niedergelassene Räuber« – war demgegenüber eindeutig besser: Sie sicherte das Überleben.

Verträge

Die Tontafeln der Sumerer

Die Sumerer erfanden im 4. Jahrtausend vor Christus nicht nur die Stadt, sondern vermutlich auch die Schrift. Wegen ihrer besonderen Form heißt sie heute »Keilschrift«. Wenig später entwickelten die Ägypter eine eigene Schrift, die so genannten »Hieroglyphen«.

Wie die Archäologen herausgefunden haben, begannen die sumerischen Schreiber ursprünglich damit, einfache Bilder in weiche Tontafeln zu ritzen. Jedes dieser Bilder war gleichbedeutend mit einem Begriff: Sonne, Wasser, Fluss, Mann, Frau. Weil es auf Ton einfacher ist, gerade Linien zu ritzen, wurden die Bilder vereinfacht zu Symbolen, die aus lauter Keilen bestanden. In der Sonne trockneten die Tafeln schnell, und der Schreiber hatte ein Dokument, das über viele Jahre hielt, teilweise bis in die Gegenwart.

Was mag die Sumerer vor über fünftausend Jahren dazu bewogen haben, ihre Gedanken in schriftlicher Form festzuhalten? Gründe dafür kann man sich viele vorstellen: Um das Bewässerungssystem zwischen Euphrat und Tigris zu betreiben, musste man das Hochwasser möglichst genau vorausberechnen, den Lauf der Sterne beobachten und seine Beobachtungen anderen mitteilen. Auch die Verwaltung erforderte einen zuverlässigen Weg der Informationsermittlung und -registrierung. Die Diener und Beamten der Könige lebten von den Abgaben der Untertanen, deshalb musste genau festgehalten werden, wer wie viel wann zu entrichten hatte. Und auch die Könige hatten bestimmt nichts dagegen, dass ihr Ruhm der Nachwelt erhalten blieb.

Nützlich war die Schrift aber vor allem auch für die Händler. Schon auf einer der ältesten bekannten Tontafeln aus der Sumerer-Zeit findet man das Wort »Kaufmann«. Zwischen Priestern ließ sich kompliziertes Wissen notfalls auch noch mündlich weitergeben. Kaufleute jedoch, die herumreisten und an fremden Orten mit fremden Menschen über fremde Waren verhandelten, mussten ihre Abmachungen in irgendeiner Form festhalten können, sobald die Geschäfte ein wenig komplizierter wurden und über den bloßen Tausch von Fellen gegen Krüge hinausgingen. Dank der Schrift konnte man nun Leistung und Gegenleistung in *Verträgen* festhalten. Wie wichtig dies für die Wirtschaftsgeschichte war, lässt sich kaum überschätzen.

Aus einem Vertrag ergibt sich die Pflicht zur Lieferung einer Ware, und zwar auch dann, wenn es dem Geschäftspartner unbequem erscheint. Wenn es ihn zum Beispiel viel mehr Anstrengung als erwartet gekostet hat, die Pelztiere zu jagen, die er zu liefern hat. Nur mit solchen verlässlichen Vereinbarungen kann man auf Dauer die Arbeit mit Menschen teilen, die man nicht näher oder überhaupt nicht kennt. Nur dann ist sichergestellt, dass Leistung und Gegenleistung so wie vereinbart erbracht werden.

Je komplizierter die Verträge wurden, desto wichtiger war es, dass sie auch überwacht wurden. Der einfache Tausch Ware gegen Ware wickelte sich fast von selbst ab. Ging es aber um umfangreiche Geschäfte, mussten sich beide Seiten darauf verlassen können, dass derjenige auch bestraft wurde, der seine Verpflichtungen aus dem Vertrag nicht einhielt. Für diese Überwachung war ein Staat notwendig. Insofern brachte der politische Fortschritt den Sumerern auch wirtschaftliche Vorteile.

Die sumerischen Händler nahmen es mit ihren Aufzeich-

nungen sehr genau; Geschäfte wurden bis in Einzelheiten hinein schriftlich auf Tonplatten festgelegt. Sie gossen Gold und Silber in Barren von genormtem Gewicht, markierten diese mit einem Siegel und verwendeten sie als Zahlungsmittel – das machte den umständlichen Tauschhandel einfacher. Für die Gewichte führten die Sumerer Maßeinheiten ein: Die größte Einheit, etwa 25 Kilogramm, war das Talent; es wurde aufgeteilt in 60 Minen, eine Mine in 60 Schekel. Nicht nur die Schrift brachte den Sumerern wirtschaftliche Vorteile, sondern auch ihre Fortschritte auf dem Gebiet der Mathematik. Überbleibsel aus dieser Zeit gibt es bis heute: Wir teilen eine Stunde in 60 Minuten und eine Minute in 60 Sekunden auf, die Währung des Staates Israel heißt »Schekel«.

Geld

Krösus, Midas und die Münzen

Handelsgeschäfte wären ganz einfach, wenn immer der eine Partner genau das hätte, was der andere braucht. Beim Austausch zwischen zwei Stämmen mag das noch so sein, dann lassen sich einfach die Töpfe mit Fellen bezahlen und umgekehrt. Aber schon bei den Sumerern war der tatsächliche Handel viel komplizierter. Wenn nur 100 Kaufleute 100 verschiedene Waren tauschen wollen, wie soll dann jeder genau das bekommen, was er haben möchte? Die Lösung des Problems haben viele Völker an verschiedenen Orten der Welt entdeckt: Man wählt einen Umweg. Die Kaufleute tauschen nicht mehr die Waren selbst, sondern sie einigen sich stattdessen auf eine bestimmte Ware, in die dann alle anderen Waren getauscht werden. Diese Ware wird damit zum Symbol für alle anderen Waren; wir nennen sie heute – *Geld*. Im deutschen Wort »Geld« steckt der Begriff »gelten«. Das trifft genau die Funktion des Geldes: Mit Geld kann man alle Waren *entgelten*, es *gilt* etwas.

Als Geld dienten zu unterschiedlichen Zeiten ganz unterschiedliche Waren. In bestimmten Gegenden Afrikas zum Beispiel wurde aller Reichtum in Rindern gemessen, in der Südsee nahm man Kaurimuscheln, in Osteuropa Felle, in China gab es mit Schriftzeichen bemalte Papierzettel. Die Gold- und Silberbarren der Sumerer hatten gegenüber Kühen und Muscheln ein paar eindeutige Vorteile: Gold und Silber sind teuer, weil es nicht sehr viel davon auf der Welt gibt. In einem Barren ist daher auf wenig Raum sehr viel Wert enthalten. Außerdem lässt sich Metall aufteilen, es geht nicht kaputt, rennt nicht weg und wird nicht schlecht.

Allerdings waren Gold- und Silberbarren
trotz all dieser Vorzüge immer noch un-
handlich und für den Alltag vermutlich
nicht besonders geeignet, etwa um
einen Laib Brot zu kaufen. Die
entscheidende Idee hatte man
vor ungefähr 2700 Jahren: Man
teilte Gold und Silber in lauter
unterschiedliche Scheiben,
größere und kleinere,
und markierte sie mit
einem Stempel, wobei
immer genau festgelegt
war, wie viel Ge-
wicht ein Stück
hatte. Wer handeln
wollte, musste
diese Edelmetall-
stücke nur noch
ansehen und wusste sofort, welchen Wert er in der Hand
hatte. Es ist unbekannt, wer zum ersten Mal solche Münzen geprägt hat, ob es ein Kaufmann war oder ein Priester
oder ein Beamter, doch wir wissen ziemlich genau, wann
und wo dies geschehen ist: ungefähr 700 v. Chr. im Reich
der Lydier in Kleinasien, also dort, wo auch vor 10 000 Jahren die Landwirtschaft begonnen hat. Von Kleinasien aus
breitete sich die Technik des Münzprägens rasch über Persien und Griechenland in den gesamten Mittelmeerraum
aus.

Schon damals waren die Münzen ähnlich groß wie die, die
wir heute benutzen: Meistens war auf eine Seite das Bild des
jeweiligen Königs oder Kaisers geprägt, auf die andere eine

Zahlenangabe. Die lydischen Münzen erwiesen sich als so nützlich, dass sie auch in Staaten übernommen wurden, in denen die Leute das Münzprägen selbst noch gar nicht beherrschten. Vermutlich war bei den Lydiern der Geldbedarf besonders groß. Sie waren ein kleines Volk, das zwischen Griechenland, Persien und Mesopotamien siedelte und daher wohl besonders viel Handel trieb.

Nun haben die Lydier die Münzen nicht im modernen Sinne »erfunden«. Vermutlich war ihnen gar nicht bewusst, dass sie etwas erfunden hatten. Sie probierten einfach Dinge aus, und zwar immer im Gefühl, von magischen Kräften beherrscht zu sein. Gold galt als ein magischer Gegenstand: Es leuchtete geheimnisvoll und rostete nicht. Deshalb wurden Goldstücke, ehe man sie zum Handelsgut machte, in Tempeln als Opfergaben verwendet; sie waren Tauschmittel im Geschäft mit den Göttern. Götterstatuen wurden vielerorts vergoldet und die Sumerer prägten auf ihre Gold- und Silberbarren den Kopf der Göttin Ischtar. Sie war die Göttin der Fruchtbarkeit wie auch des Todes. »Gelten«, die Wurzel unseres Wortes »Geld«, bedeutete ursprünglich nicht nur »entrichten« und »erstatten«, sondern auch »büßen« und »opfern«. Ein wenig Magie begleitete das Geld durch seine ganze Geschichte, bis in die heutige Zeit.

Die Magie des Geldes muss im Altertum besonders groß gewesen sein, denn das schimmernde Gold stattete den, der viel davon besaß, mit einer zuvor nie gekannten Macht aus, die den anderen wie ein – guter oder böser – Zauber vorkam. Mit Hilfe des Geldes konnte man nicht nur handeln, sondern auch viel leichter reich werden als früher. Die Macht des Geldes zeigte sich nicht so offensichtlich wie die, die ein Schwert oder eine Lanze verleiht, aber sie wirkte nachhaltiger und reichte weiter. Mit Geld konnte man Menschen kaufen oder sie wenigstens dazu bringen, das zu tun, was man von ihnen wollte.

Außerdem hatte Geld die Eigenschaft, sich zu vermehren. Wer es verlieh, konnte dafür *Zinsen* verlangen, er bekam also wiederum Geld. Die Münzen waren, so kam es den Menschen in der Antike vor, eine Ware, die selbst Nachkommen zur Welt brachte. Ein höchst unnatürlicher Vorgang, dachten sie. Deshalb wollten Priester in vielen Religionen immer wieder das Zinsnehmen verbieten – letztlich allerdings vergeblich. Viele glaubten, dass Geld den Charakter der Menschen verdirbt. *»Wozu treibst du die sterblichen Herzen nicht, verfluchter Hunger nach Gold«*, schrieb der römische Dichter Vergil (70 - 19 v. Chr.).

Aus der Zeit, als die Münzen erfunden wurden, stammt auch die berühmte griechische Sage vom König *Midas*: Er konnte alles, was er wollte, in Gold verwandeln. Die Lydier, die die Münzen erfunden hatten, waren unter allen Nachbarvölkern berühmt wegen ihres atemberaubenden Reichtums. Gleichzeitig waren die Nachbarn irritiert von den lydischen Sitten. Der Geschichtsschreiber *Herodot* behauptet, die Lydier hätten ihre Töchter prostituiert, um deren Aussteuer zu finanzieren, sie hätten sie also für Geld vor ihrer Hochzeit mit Männern schlafen lassen. Um 550 v. Chr. regierte in Lydien ein mächtiger König, dem es gelang, die Griechen in Kleinasien zu besiegen. Er bewunderte trotzdem die griechische Kultur und bedachte die Heiligtümer in Ephesos und Delphi mit großzügigen Schenkungen. Bis heute ist der Name des Königs ein Symbol für unermesslichen Reichtum geblieben: *Krösus*.

Privateigentum

Perikles und die Demokratie

Je mehr Dinge von Wert es gibt, desto wichtiger wird die Frage, wer über diese zu bestimmen hat. Für die Jäger und Sammler spielte dies noch keine Rolle. Die Männer erlegten gemeinsam einen Bären; alle waren dabei aufeinander angewiesen, alle aßen hinterher sein Fleisch und verteilten sein Fell untereinander. Die Menschen besaßen das, was sie gerade brauchten, ihre Waffen und die Nahrungsmittel, aber keinem wäre wohl in den Sinn gekommen zu fragen, wem der gemeinschaftlich erlegte Bär oder die gemeinsamen Jagdgründe nun »gehörten«. Noch im 20. Jahrhundert entdeckte man Stämme von Urvölkern, die noch nie mit der modernen Zivilisation in Kontakt gekommen waren; in ihrer Sprache hatten sie überhaupt kein Wort für »Eigentum«.

Schon mit der Einführung der Landwirtschaft wurden die Dinge komplizierter: Hirse und Gerste wuchsen auf Feldern, mit denen man auf ganz unterschiedliche Art und Weise umgehen konnte. Sollten sie von allen Stammesmitgliedern gemeinsam bestellt werden oder sollten sich Familien das Land aufteilen, und wenn ja, wie? Wahrscheinlich bekam die Familie des Häuptlings dann besonders viel Land. Aber was war, wenn der Häuptling starb? Wurden dann die Rechte auf den neuen übertragen, verblieben sie in der Familie des alten, oder führten die alten Rechte sogar dazu, dass das Amt des Häuptlings künftig in einer Familie blieb? So oder so – die Frage, wem das Land »gehörte«, musste gelöst werden.

Die Könige der Sumerer und die Pharaonen in Ägypten

glaubten vermutlich, das Land, seine Früchte und die Menschen, die auf ihm lebten, gehörten ihnen. Die Menschen waren ihnen *hörig*. In sumerischen Königsgräbern fand man als makabre Grabbeigaben Leibwächter und Diener des Königs, die erschlagen worden waren, weil der Herrscher im Jenseits einen angemessenen Hofstaat brauchte und die Diener nicht ohne ihren König im Diesseits weiterleben sollten. Andererseits muss es damals auch schon Untertanen der Könige gegeben haben, die selbst über Eigentum verfügten. Die sumerischen Kaufleute schlossen ja schon sehr detaillierte Verträge ab und zahlten Steuern. Wer aber dem Staat etwas bezahlt, der muss auch etwas *besitzen*. Daraus kann man schließen, dass es an Euphrat und Tigris bereits *Privateigentum* gab.

Die Erfindung der Landwirtschaft hatte Diebstahl und Raub unter den Völkern lohnend gemacht. Mit der Einführung des Privateigentums wuchsen nun auch Diebstahl und Raub im Inneren der Stämme und Staaten. Es schürte die Habgier, wenn man als Einzelner oder als Familie – und nicht nur als Stamm – reich werden konnte. In der lateinischen Sprache heißt *privatus* sowohl »abgesondert« als auch »beraubt«. Die Absonderung von Grund und Boden durch einzelne Menschen war oft eine brutale Angelegenheit, das Ergebnis von Eroberung, Raub und Betrug. Der Ökonom *Ludwig von Mises* (1881 – 1973) schrieb: »*Man kann ruhig sagen, dass es kein Stück Grundeigentum gibt, das sich nicht auf eine gewaltsame Erwerbung zurückführen lässt.*« Und der französische Philosoph *Pierre-Joseph Proudhon* (1809 – 1865) formulierte es so: »*Eigentum ist Diebstahl.*«

Das ist die eine Seite der Medaille. Zugleich war das Privateigentum aber auch die Voraussetzung, um mit Reichtümern auf friedliche Weise umzugehen. Dies wurde in einem einmaligen historischen Experiment getestet. In Griechenland entstand im 1. Jahrtausend vor Christus die erste europäische Hochkultur. Griechische Sprache, griechisches Denken und griechische Sagen prägen uns bis heute. Die Griechen hatten damals kein einheitliches Reich, sie lebten in einer Vielzahl kleinerer und größerer Stadtstaaten. Zwischen 600 und 500 v. Chr. errangen zwei dieser Staaten eine Vormachtstellung: Athen und Sparta.

Den athenischen Bürgern gelang es nach und nach, Könige und Tyrannen loszuwerden und eine Demokratie zu schaffen, in der alle Freien, nicht jedoch Frauen und Sklaven, über die Geschicke ihrer Stadt bestimmen konnten. Dagegen war Sparta eine Militärdiktatur. Sie war gegründet worden von Eroberern, die die ursprüngliche Bevölkerung des Peloponnes im Süden Griechenlands unterworfen hatten und als »Heloten« für sich arbeiten ließen. Die Kriegerfamilien erhielten Land als Erbgut, also in einer eingeschränkten Form von Eigentum. Die Felder ließen sie von Heloten bebauen. Die Krieger lebten karg (»spartanisch«) und in der Überzeugung, vor allem für den Staat geboren zu sein.

In der demokratischen Stadt Athen hatten die freien Bürger Privateigentum, im despotischen Sparta dagegen die meisten nicht. Athen entwickelte sich zu einer blühenden Wirtschaftsmacht, Sparta verhärtete sich, weil die adlige Kriegerkaste zahlenmäßig immer kleiner wurde. Sparta versuchte, Fremdlinge vom Land fern zu halten, Athen förderte Handel und Wandel. Ausländische Kaufleute erhielten im athenischen Hafen Piräus das Recht, Gerichte anzurufen. Die Athener lieferten Öl, Wein, Töpferwaren, Waffen und anderes Eisengerät in den ganzen Mittelmeerraum; von dessen Bewohnern bezogen sie zum Ausgleich Käse, Fisch,

Zypressenholz, Elfenbein, Mehl, Datteln, Teppiche. Der Philosoph *Aristoteles* (384 – 322 v. Chr.) verglich die Verhältnisse in seiner Heimatstadt Athen mit denen im gegnerischen Sparta und kam zu dem Schluss: »*Wenn jeder für das Seinige sorgt, werden keine Anklagen gegeneinander erhoben werden, und man wird mehr vorankommen, da jeder am Eigenen arbeitet.*« Wenn alles allen gehört, so Aristoteles, dann sorgt dies für Streit und für Klagen gegeneinander. Privateigentum dient dagegen dem Frieden im Staat.

Privateigentum bedeutet, dass jeder mit seinem Besitz tun und lassen kann, was er will, solange er nicht anderen schadet. Privateigentum ist ein Stück persönliche Freiheit. Daher ist es kein Zufall, dass die Athener die Idee der Freiheit entwickelten. Das griechische Wort »Freiheit« ist in viele andere Sprachen der damaligen Zeit gar nicht übersetzbar. Der athenische Staatsmann *Perikles* (ca. 500 – 429 v. Chr.) gilt als der berühmteste Repräsentant dieser Demokratie,

die auf Recht und Privateigentum aufbaute. In einer Rede schilderte er die Vorzüge des athenischen Systems: *»Die Freiheit, der wir uns erfreuen, erstreckt sich auch auf das gewöhnliche Leben; wir verdächtigen einander nicht, und wir nörgeln nicht an unserem Nachbarn herum, wenn er es vorzieht, seinen eigenen Weg zu gehen.«* In Athen waren – im Gegensatz zu Sparta – Bürger und Staat klar getrennt. Der Bürger lebte nicht für den Staat, er hatte sowohl Rechte als auch Pflichten gegenüber der Gemeinschaft.

Recht

Roms Erbe

Das alte Griechenland verfiel bald nach der Herrschaft des Perikles, unter anderem weil die Athener die Macht missbrauchten, die ihnen ihr Wohlstand verlieh. Sie führten blutige Kriege gegen andere griechische Stadtrepubliken und zerstörten so die eigene Kraft. Griechenlands Erbe trat das römische Weltreich an.

Die Römer schafften es zum ersten und einzigen Mal, das gesamte Mittelmeer politisch zu einigen. Sie bauten befestigte Straßen bis in den südlichen und westlichen Teil des heutigen Deutschlands hinein, sie gründeten Städte, die es zum Teil heute noch gibt: Köln, Regensburg, Augsburg, Trier und viele andere. Die Städte entwickelten sich zu blühenden Handelsplätzen, auch über die Grenzen des Reichs hinaus; die Römerstraßen verbilligten den Transport von Waren über weite Strecken. Nach Deutschland brachten sie ihre Kultur und viele neue Techniken. Germanen und Kelten, die damals nördlich von Rhein und Donau lebten, lernten von den Römern den Weinbau und die Obstwirtschaft. Sie verdankten ihnen die Birne ebenso wie die Kirsche, den Pfirsich, den Rettich und den Kohl. Überall im Reich konnte man mit dem gleichen Geld bezahlen, zunächst mit Silbermünzen, dem *Denarius* und der *Silberdrachme*, später kamen Goldmünzen dazu: *Aureus, Sesterze, As* und *Quadrant*. Die Namen einiger Münzen haben sich bis heute erhalten: Die jugoslawische Währung zum Beispiel hieß *Dinar*. Rund um das Mittelmeer gab es – für die Menschen, die dort lebten, war diese Region die ganze bekannte Welt – eine *globalisierte Wirtschaft*. Alle Teile des Reiches waren miteinander verbunden, außer den Widrigkeiten der Natur waren dem Handel keine Grenzen gesetzt.

Der wichtigste Beitrag der Römer zur Entwicklung der Wirtschaft ist vermutlich ihr Rechtssystem. Schon um 450 v. Chr. wurden die grundlegenden Bestimmungen über die Beziehungen der Bürger untereinander (Privatrecht), über das Verhältnis von Bürger und Staat (öffentliches Recht) und darüber, welche Taten mit welchen Strafen als Verbrechen geahndet werden (Strafrecht), schriftlich festgehalten. Später schrieben berühmte Rechtsgelehrte die Gesetze anhand von Entscheidungen über typische Fälle fort. Verträge, allgemein gültige Gesetze und eine Staatsmacht, die das Recht auch durchsetzt, bildeten die Grundlage für den Aufschwung von Handel und Zivilisation im Römischen Reich. Das Rechtssystem der Römer lebte fort, auch als das Reich längst zerfallen war, in einigen Staaten bis in unsere Tage.

Wie wichtig Recht und Gesetz für die Wirtschaft sind, zeigte sich, als das Römische Reich unterging und von feindlichen Stämmen überrannt wurde. Im Jahr 476 n. Chr. setzte ein germanischer Heerführer, Odoaker, den letzten römischen Kaiser ab. Danach brach der Fernhandel am Mittelmeer und in Europa zusammen, es gab kein einheitliches Geld mehr, die antike Welt zerfiel in einzelne sich bekriegende Staaten. Es dauerte Jahrhunderte, ehe sich die Zivilisation von dieser Katastrophe wieder erholen konnte.

Mit dem Römischen Reich verfielen auch Privateigentum und Freiheit. In Rom hatten viele Bürger Land besessen, in Italien lebten freie Bauern, die römischen Kaiser schenkten verdienten Legionären Land, wenn sie aus dem Dienst ausschieden. Gegen Ende, als die Kaiser die Kosten für die immerwährenden Kriege an den Grenzen des Reiches nicht mehr tragen konnten, schränkten sie die Freiheit der Bauern

ein. Im Mittelalter, das mit dem Fall von Rom begann, wurden die Bauern immer mehr zu Abhängigen adliger Landesherren (»Leibeigene«). Sie waren zu Arbeiten auf deren Feldern und zu Abgaben verpflichtet (»Frondienste«) und durften ihren Hof und ihr Dorf nicht ohne Genehmigung des Herrn verlassen. In den meisten Gegenden Deutschlands wurde die Leibeigenschaft erst um das Jahr 1800 abgeschafft, in Russland sogar erst im Jahre 1863.

Arbeit

Von Spartakus zu Benedikt

Unter den Athenern blühten die Freiheit der Bürger und das Privateigentum, unter den Römern das Recht. Aber Freiheit, Recht und Privateigentum galten in der ganzen Antike nur für eine kleine Schicht freier Bürger, nicht für jene, die die meiste Arbeit machten, die Sklaven. Sie befanden sich selbst im Privatbesitz von Königen, Bürgern und Bauern. Und niemand nahm an dieser Tatsache Anstoß.

In allen Reichen des Altertums galt es als völlig normal, dass es Menschen gab, die anderen gehörten und für diese die Arbeit verrichteten. Wenn ein Staat einen Krieg gewonnen hatte, wurden die Gefangenen nicht in Kriegsgefangenenlager gesteckt, sondern in die Sklaverei verkauft. In Sparta, aber auch in Athen und Rom verrichteten Sklaven zeitweise fast alle körperlichen *und* geistigen Arbeiten. Sklaven waren Schweinehirten, sie schufteten auf den Feldern und in den Bergwerken. Aber auch die größte Bank Athens wurde von einem Sklaven geleitet. Es gab einen athenischen General, der nicht weniger als 1000 Sklaven besaß und diese in einem schriftlichen Vertrag an ein Bergwerk auslieh, wodurch die Nachwelt von ihm erfuhr. Vermutlich lebten in Athen zu den besten Zeiten der Stadt 400 000 Sklaven. Wenn diese Schätzung stimmt, dann kamen auf jeden freien Bürger Athens fünf Sklaven. Sklaven arbeiteten nicht nur bei den Reichen, sondern auch bei ganz normalen Bürgern. Sie waren Köche, Dienerinnen und Weber, aber auch Lehrer und Verwalter. Der Bedarf an Sklaven war so groß, dass zuweilen Kriege geführt wurden, nur um neue Sklaven zu rauben.

In Nordafrika verkauften während der Herrschaft des Römischen Reiches Eltern ihre Kinder an reiche Römer. Es kam auch vor, dass Menschen ihre Schulden nicht bezahlen konnten und deshalb in die Schuldknechtschaft gerieten. Allerdings gab es auch Sklavenaufstände. Der berühmteste war der des *Spartakus*, der zwischen 73 und 71 v. Chr. das Römische Reich erschütterte. Der Anführer Spartakus stammte aus Thrakien, einer Landschaft im heutigen Nordgriechenland. Er wurde in einer Schule gefangen gehalten, in der er zum Gladiator ausgebildet werden sollte, er hätte sich also in Schaukämpfen zum Ergötzen der Römer bis zum Tode streiten sollen. Spartakus entfloh zusammen mit 70 anderen Gladiatoren aus dieser Schule, stellte ein Heer von Sklaven auf, besiegte mehrmals römische Legionäre und unterlag erst nach zwei Jahren bei einer Schlacht in Oberitalien. Natürlich haben die Aufständischen des Spartakus heute unsere Sympathie. Aber wir dürfen uns keine falschen Vorstellungen machen: Spartakus wollte nicht die Sklaverei als solche abschaffen. Er wollte sie für sich selbst und seine Gefährten abschaffen, er wollte bessere Lebensbedingungen, vielleicht wollte er sogar selbst Sklaven halten.

Die Sklaverei bestimmte nicht nur den Alltag und die Lebensbedingungen, sondern auch das Denken der Menschen. Freie Bürger verachteten fast alles, was wir heute als *Arbeit* bezeichnen würden. Der Politiker und Schriftsteller *Marcus Tullius Cicero* (106 – 43 v. Chr.) beschrieb in einer berühmten Rede, was er von den verschiedenen Berufen hielt: »*Was nun das Handwerk und die Erwerbszweige angeht, welche man eines Freien würdig halten soll und welche niedrig sind, so ist Folgendes ungefähr die akzeptierte Meinung: Erstens finden die Erwerbszweige keine Billigung, die auf den Hass*

der Menschen stoßen, wie die der Zöllner in den Häfen oder
der Wucherer. Eines Freien nicht würdig und niedrig sind
aber auch die Tätigkeiten aller, die für Lohn arbeiten, deren
Arbeitsleistung gekauft wird und nicht deren Begabungen;
denn bei ihnen besiegelt der Lohn selbst ihre Versklavung.
Für niedrig muss man auch die halten, die von Kaufleuten
kaufen, um sofort wiederzuverkaufen; denn sie würden
nichts verdienen, wenn sie nicht ausgiebig lügen würden ...
Und alle Handwerker betreiben ein niedriges Gewerbe,
denn eine Werkstatt kann keinen freien Geist atmen. Und
am wenigsten sind die Gewerbe zu billigen, die fleischlichen
Genüssen dienen: Fischhändler, Fleischer, Köche, Geflügel-
händler und Fischer ... Zu denen man, wenn man mag,
Parfumverkäufer, Tänzer und alles, was mit öffentlicher Be-
lustigung zu tun hat, hinzufügen kann.«

Einigermaßen vertretbar erscheinen Cicero lediglich die
Berufe des Arztes, des Architekten und des Erziehers; eines
vornehmen Mannes wirklich würdig ist aber eigentlich nur
das Betreiben eines Landgutes. Und die Arbeit dort verrichteten Sklaven. Von unseren heutigen Berufen würde
vermutlich fast keiner die Gnade Ciceros finden.

Damit sich diese Einstellung ändern konnte, bedurfte es
einer Revolution. Und diese Revolution war der Untergang
des Römischen Reiches. Das 4. und 5. Jahrhundert unserer
Zeitrechnung muss für die damaligen Menschen schrecklich
gewesen sein. In Rom selbst feierten dekadente Kaiser kost-
spielige Orgien und ließen das Volk darben, barbarische
Völker verwüsteten die Provinzen, der Wohlstand sank,
Handel und Landwirtschaft und Handwerk lagen dar-
nieder. Die Menschen suchten nach neuem Halt und den
fanden sie in der neuen Religion des Christentums.

Einer dieser Haltsuchenden war Benedikt von Nursia, der

Sohn eines reichen Mannes aus Umbrien; er lebte von 480 bis 544. Benedikt wurde Mönch und gründete auf dem Monte Cassino in Mittelitalien ein Kloster. Dessen Mönche sollten arm sein, gehorsam, sie sollten den Gottesdienst pflegen und – sie sollten arbeiten und so für ihren Lebensunterhalt sorgen. »*Ora et labora*« (bete und arbeite) lautete die Kurzform dieser Regel. Man solle Gott mit seiner Arbeit verherrlichen, sagte Benedikt von Nursia, den man später den »heiligen Benedikt« nannte.

Für Benedikt war Arbeit keine Sklavenarbeit mehr. Dabei wendete er einen geistigen Trick an: Mönche betrachtete er als Sklaven Gottes, daher geziemte es ihnen, so zu arbeiten, wie es im alten Rom die Sklaven taten, obwohl die Mönche freie Männer, oft sogar Adlige, waren. Benedikt verfasste eine Regel, die bis heute das Leben der Benediktinermönche bestimmt. Darin heißt es zum Beispiel: »*In Christus sind wir alle eins und gleich. Wir alle leisten dem gleichen Herrn den gleichen Dienst.*« Die Mönche hatten dem Abt Gehorsam zu leisten, waren im Übrigen aber gleich, es sei denn, sie zeichneten sich durch besondere Demut oder gute Werke aus.

An einer anderen Stelle schreibt Benedikt: »*Müßiggang ist der Seele Feind. Deshalb sollen die Brüder zu bestimmten Zeiten mit Handarbeit, zu bestimmten Stunden mit heiliger Lesung beschäftigt sein.*« Die Mönche, die nach der Regel des Benedikt lebten, teilten ihren Tagesablauf streng ein zwischen Gebeten, Gottesdienst und Arbeit. Sie lebten so der Welt außerhalb der Klöster freiwillige Arbeitsdisziplin vor, obwohl das sicher gar nicht in der Absicht Benedikts lag. Die Klöster lieferten den Menschen draußen lebendige und eindrückliche Beispiele dafür, wie man seine Zeit einteilen kann. Wer Gott dienen wollte und sich dabei die

Mönche zum Vorbild nahm, der konnte nicht mehr ziellos in den Tag hineinleben. Das veränderte die innere Einstellung der Menschen zu ihrer Zeit, zu ihrer Umwelt und zu wirtschaftlichen Dingen – in allen Ländern, die von der römischen Kirche geprägt wurden. Ohne die geistige Vorarbeit in den Klöstern des Mittelalters hätte es später vielleicht niemals Fabriken geben können.

Und noch eine weitere Neuerung brachten die Klöster in späteren Jahren: Die Menschen waren in ihren Zellen *allein*. Es ist, soweit man dies weiß, das erste Mal in der Geschichte, dass sich viele Menschen, und nicht nur Philosophen, auf sich selbst zurückzogen, um nachzudenken, um Zwiesprache mit Gott zu halten und um zu sich selbst zu finden. Das Individuum, der einzelne Mensch, hatte damit an Bedeutung gewonnen gegenüber dem Staat oder der Gemeinschaft.

Marktplätze

Treffpunkte und Preise

Klöster waren für die Menschen im beginnenden christlichen Mittelalter eine Zuflucht und Inseln der Zivilisation in einer barbarischen Welt. Die Mönche bewirtschafteten das Land, sie bewahrten alte Schriften auf, während draußen Gesetzlosigkeit und das Recht des Stärkeren herrschten. Von Königen und Kaisern bekamen die Klöster Land zugewiesen, einige wurden reich und hatten selbst abhängige Bauern. Jedes Kloster arbeitete auf seinem Territorium eigenwirtschaftlich, das heißt: Man stellte alles, was man brauchte, soweit es irgendwie ging, selber her. Die Mönche – oder die von ihnen abhängigen Bauern – bauten Getreide an, Angehörige des Klosters mahlten es zu Mehl, backten Brot, kelterten Wein, schlugen die Fässer dafür, brauten Bier, fertigten Werkzeuge, legten Fischteiche an und schneiderten Kleider.

Der Handel und das großräumige System der Arbeitsteilung aus der Zeit der Griechen und Römer waren im frühen Mittelalter fast ganz verschwunden. Nachdem die Araber den südlichen Teil des Mittelmeeres erobert hatten, lebte die antike Handelstradition zwar teilweise in ihren islamischen Reichen fort. Aber die wirtschaftliche Einheit des Mittelmeeres war zerstört. Das christliche Europa zerfiel in lauter Einzelwirtschaften, die weitgehend auf sich gestellt (»autark«) waren: Ritter und Herzöge erhielten vom Kaiser ein Stück Land geliehen (»Lehen«) und mussten zum Ausgleich für ihn in den Krieg ziehen; sie waren seine »Vasallen«. Die Bauern waren nicht mehr frei, sie mussten die Felder der Adligen bebauen.

Allerdings waren Handel und Wandel auch im frühen Mittelalter nicht völlig zusammengebrochen. Es gab Dinge, die man auch auf den Fronhöfen und in den Klöstern nicht selber machen konnte: zum Beispiel Salz – ein damals sehr wichtiges Produkt, weil unerlässlich für das Konservieren von Fleisch und Käse. Es stammte aus salzigen Quellen (»Solquellen«) oder von den nordfriesischen Inseln, wo die Bauern seit frühester Zeit Salztorf abbauten und zu Salz einkochten. Später wurden Salzbergwerke in den Alpen erschlossen. Heute merkt man noch vielen Städtenamen an, dass dort früher Salz abgebaut wurde; sie enthalten häufig den Bestandteil »salz« oder »hall«: Salzwedel, Salzburg, Schwäbisch Hall, Bad Reichenhall, Hall in Tirol.

Und für die Fronhöfe war es wichtig, den Wechsel von guten und schlechten Ernten auszugleichen. Im einen Jahr zum Beispiel trugen die Weinstöcke so gut, dass die Fässer nicht ausreichten, um alle Trauben ordnungsgemäß zu keltern. Also suchte der Weinbauer nach jemandem, der ihm die überschüssige Menge abkaufte. Im Frühjahr nach einer schlechten Getreideernte hatten die Bauern Bedarf an Saatgut, nach einer sehr guten Ernte wollten sie welches abgeben.

Wo aber fand man diesen Jemand, der einem überschüssige Produkte gegen Mangelwaren eintauschte? Die Wege waren schlecht damals, die alten Römerstraßen verfallen, Räuber und Diebe machten das Land unsicher. Deshalb war es notwendig, dass die Bauern möglichst wenig zu reisen hatten, und dieses Ziel erreichte man am besten, wenn sich alle Handelswilligen regelmäßig zu einem festen Zeitpunkt an einem vereinbarten Ort trafen, auf dem *Marktplatz*.

Der fränkische König Pippin der Jüngere, der Vater des späteren Kaisers Karl des Großen, verfügte im Jahre 744,

dass in allen größeren Siedlungen seines Reiches Wochenmärkte einzurichten seien. Diese Märkte unterschieden sich
nicht wesentlich von denen, die es heute noch überall auf
der Welt gibt. Bauersfrauen, Handwerker und Händler boten ihre Waren auf einem dafür geeigneten Platz an; die
einen hatten überdachte Stände, andere breiteten Äpfel und
anderes Obst nur auf einem Tuch aus, wieder andere verkauften lebende Hühner in kleinen Käfigen. Man feilschte
um den Preis, wobei der Handel damals oft oder sogar
hauptsächlich ein Tauschhandel gewesen sein muss, denn
Geld war sehr knapp. Die fränkischen Könige hatten zwar
die römische Münztradition übernommen; sie verfügten
über Silbervorkommen im Elsass und ließen eigene Silber-
denare prägen. Aber die meisten ihrer Untertanen hatten
gar keine Gelegenheit, in den Besitz von Münzen zu kommen.

Märkte sind eine der erstaunlichsten Entwicklungen der Menschheit. Es gab sie zu allen Zeiten und überall auf der Welt. Niemand hat jemals das Prinzip des Marktes »erfunden«, die Menschen entwickelten es unbewusst, indem sie einfach ihren eigenen Bedürfnissen nachgingen. Es funktionierte auf den Wochenmärkten zu Pippins Zeiten nicht anders als in den Suks der arabischen Städte, auf Flohmärkten oder an den modernen Börsen: Wer etwas anzubieten hat, möchte dies möglichst teuer verkaufen, wer etwas braucht, will dafür möglichst wenig bezahlen. Oder, wie es die Ökonomen heute ausdrücken: Je höher der *Preis*, desto niedriger die *Nachfrage* und desto höher das *Angebot*. Je niedriger der Preis, desto geringer das Angebot und desto höher die Nachfrage. Wenn ein Markt richtig funktioniert, dann muss kein Anbieter abends nach Hause gehen und seine Waren wieder mitnehmen. Käufer und Verkäufer feilschen so lange, bis der Markt »geräumt« ist.

Am besten versteht man das Prinzip des Marktes dann, wenn jemand es stört. Zum Beispiel haben immer wieder Herrscher in allen Teilen der Welt versucht, den Preis für Brot durch Vorschriften künstlich niedrig zu halten, weil sie den Zorn des Volkes über schlechte Lebensbedingungen besänftigen wollten. Jeder, der das Brot über dem verordneten Preis verkaufte, wurde streng bestraft. Was war die Folge? Erst einmal konnten sich die einfachen Leute mehr Brot leisten, es war ja billiger geworden. Bald wurde aber weniger Brot angeboten, weil es sich für die Bauern nicht mehr lohnte, auf schlechteren Böden Getreide anzubauen, oder weil bei dem niedrigeren Preis die Anreise zum Wochenmarkt zu teuer war. Im Ergebnis war das Brot auf dem Markt viel früher ausverkauft, die Kunden mussten Schlange stehen und viele bekamen überhaupt kein Brot. Der einzige Vorteil – aus der Sicht des Königs – war, dass sich der Zorn des Volkes nun auf die Bäcker richtete, weil die Leute glaubten, diese hielten das Brot aus Gewinnsucht zurück.

Der umgekehrte Eingriff in den Markt hätte ähnlich schlechte Auswirkungen gehabt: Hätte der König eine Preis*erhöhung* angeordnet, etwa um die Bäcker zufriedenzustellen, dann hätten diese einerseits mehr Brot angeboten, andererseits hätten sich weniger Menschen ausreichend Brot leisten können. Die Bäcker hätten dann abends viele Brotlaibe unverkauft wieder mit nach Hause nehmen müssen.

Welchen Preis ein Händler für eine Ware verlangen kann, hängt also im freien Wettbewerb sehr von Angebot und Nachfrage ab. In den Städten des späten Mittelalters unterliefen die Handwerker dieses Prinzip. Sie legten die Preise nach eigenem Gutdünken fest – ohne sich um die Nachfrage zu kümmern; damit trotzdem keine Überschüsse auf den Märkten auftraten, schlossen sie sich in *Zünften* zusammen und erließen strenge Vorschriften darüber, wer ein Handwerk ausüben und wie viel er liefern durfte. In der heutigen Ökonomie nennt man dies einen marktbeherrschenden Zusammenschluss – ein *Kartell*. Das führte zunächst dazu, dass das Handwerk aufblühte, denn es ließ sich in den Zünften mehr Geld verdienen, als wenn sich die Handwerker dem freien Wettbewerb hätten stellen müssen. Weil deshalb aber alle Mitglieder in den Zünften ein Interesse daran hatten, dass sich möglichst nichts änderte, hemmten die Zünfte bald den Fortschritt von Wirtschaft und Technik.

Im frühen Mittelalter, im 8. und 9. Jahrhundert, gab es nicht nur Marktplätze, sondern auch schon wieder kleine Anfänge eines Fernhandels. In Schriften aus der damaligen Zeit finden sich immer wieder Hinweise auf Kaufleute, die

Waren aus Indien, Arabien, aus dem Byzantinischen Reich oder Italien nach Deutschland brachten. Oft gehörten diese Kaufleute Familien an, deren Tradition noch in der antiken Handelswelt wurzelte. Das waren zum Beispiel Syrer und Juden, die in vielen Teilen des ehemaligen Römischen Reiches lebten.

Doppelte Buchführung

Luca Pacioli und die Araber

Immer wieder in der Geschichte haben sich furchtbare Katastrophen ereignet, die dann auf Umwegen, an die niemand dachte, doch noch etwas Positives bewirkten. So war das auch, als am 27. November 1095 das Oberhaupt der katholischen Kirche, Papst Urban II., die Christen zum heiligen Krieg gegen die »Heiden« aufrief, also gegen Juden und Moslems. Ziel war es, die heiligen Stätten der Christenheit in Jerusalem, besonders das angebliche Grab Jesu Christi, zu »befreien«, womit gemeint war, dass die Stadt unter christliche Herrschaft kommen sollte.

Die Predigt des Papstes löste ein unglaubliches Echo aus: Ritter, besonders aus Frankreich und Süditalien, hefteten sich ein rotes Kreuz an den Mantel und zogen, meist unzureichend ausgerüstet, ins Heilige Land, fanatische Volksmassen folgten ihnen. Obwohl schon bald Rivalitäten unter den Rittern ausbrachen, eroberten sie am 15. Juli 1099 Jerusalem und richteten dort unter den Einwohnern ein furchtbares Blutbad an. Ein Königreich Jerusalem und mehrere andere Kreuzfahrerstaaten entstanden. Sie konnten sich aber auf Dauer gegen den Islam nicht halten. 1291 ging die letzte Kreuzfahrerfestung Akko verloren.

Militärisch und politisch scheiterten die Kreuzzüge, menschlich waren sie ein barbarisches Unterfangen, doch für das Wirtschafts- und Geistesleben Europas wirkten sie sich überaus segensreich aus – vermutlich gerade deshalb, *weil* die Europäer die Kriege gegen die Moslems verloren. Die islamischen Reiche waren zu jener Zeit den christlichen nicht nur militärisch, sondern auch in ihrer Kultur weit überlegen. Die Araber hatten das geistige Erbe der Griechen und Römer bewahrt, zum Beispiel die Schriften der alten Philosophen, sie brachten geniale Mathematiker und Astronomen hervor, außerdem waren sie geschickte Kaufleute. Ein Bild von dieser glanzvollen Epoche geben die Märchen aus »Tausendundeiner Nacht« wieder.

Die Araber hatten ein eigenes Zahlensystem entwickelt: die arabischen Ziffern, die wir heute noch verwenden. Diese hatten ihren Ursprung in Indien. Eine der wesentlichen Neuerungen lag darin, dass es für »nichts« ein eigenes Zeichen gab, die *Null*. Die Erfindung der Null machte das Multiplizieren und das Bruchrechnen viel einfacher, sie erlaubte die einprägsame Darstellung des Dezimalsystems, also die Aufteilung der Zahlen in Zehnereinheiten. Die Christen lernten die arabischen Ziffern bei den Kreuzzügen kennen, europäische Kaufleute erkannten deren Wert und führten sie zu Hause ein. Das neue System ersetzte im Handel schnell die bisher üblichen römischen Ziffern (I, V, X, C, L, M). Weil die Kaufleute nun leichter rechnen konnten, rech-

neten sie auch besser, sie erhielten ein genaueres Bild über den Verlauf ihrer Geschäfte.

Geschäftsbücher, in denen Kaufleute Einnahmen und Ausgaben notierten, gab es in Europa schon lange. Aber diese Aufzeichnungen waren von sehr einfacher Art. Die mittelalterlichen Kaufleute beherrschten kaum das Addieren, Subtrahieren, Multiplizieren und Dividieren – einfachste Rechenarten, die heute jeder Grundschüler lernt. Oft waren die »Bücher« nur einfache Schmierzettel, in denen die Geschäfte notiert wurden, zuweilen vergaß ein Kaufmann dabei sogar die Namen seiner Kunden. Die Händler hatten auch gar nicht die Vorstellung, dass eine Rechnung exakt sein müsse. Bauern merkten sich ihre Geschäfte mit Hilfe von Knoten im Taschentuch. Es war schwierig, einen genauen Überblick zu haben, aber man wollte es auch gar nicht so genau wissen.

Mit der Einführung der arabischen Ziffern änderte sich das schnell. Denn die christlichen Kaufleute brachten aus dem Nahen Osten nicht nur die Zahlen, sondern auch ein neues System mit, mit Hilfe dessen sie ihre Bücher viel besser als früher führen konnten. Es ist eine Methode, die bis heute überall auf der Welt angewendet wird: die *doppelte Buchführung*. Als Erfinder gilt der italienische Mönch *Luca Pacioli* (1445 – 1514), der die Methode 1494 in Genua vorstellte. Er war aber sicher nicht der »Erfinder« im eigentlichen Sinne, vielmehr trug er in seinem Lehrbuch zusammen, was andere vor ihm schon praktiziert hatten – arabische und italienische Kaufleute.

Der Grundgedanke der doppelten Buchführung ist einfach: Alles, was in einer Firma passiert, wird zweimal aufgeschrieben. Hat ein Kaufmann zum Beispiel ein Fass Wein für zehn Dukaten verkauft, dann notiert er auf seinem

Konto »Weinvorräte« die Buchung - *10* Dukaten, auf seinem Konto »Kasse« die Buchung + *10* Dukaten. Wenn alle Geschäftsvorgänge auf diese Weise immer doppelt verbucht werden, dann kann man zu jeder Zeit eine *Bilanz* des Unternehmens aufstellen.

Bilanz kommt von dem italienischen Wort für Waage (*bilancia*). Es ist eine Art Zahlenbild des jeweiligen Unternehmens. Wie bei einer Waage gibt es zwei Schalen: In die rechte Schale kommt das Geld hinein, das in der Firma steckt (die *Passiva*), in die linke Schale die Dinge, für die das Geld verwendet wurde (*Aktiva*). In beiden Schalen muss logischerweise immer gleich viel drin sein; wenn nicht – wenn sich also die Waage zur einen Seite neigt –, dann hat jemand einen Fehler gemacht. Weil es ziemlich unpraktisch ist, immer richtige Waagen in die Geschäftsbücher zu zeichnen, hat man dafür eine stark vereinfachte Form entwickelt: ein »T«. Links vom senkrechten Strich des »T« stehen die Aktiva, rechts die Passiva.

Die doppelte Buchführung erlaubte es den Kaufleuten, systematisch ihr Geschäft zu durchleuchten. Dadurch verstanden sie selbst besser, was dort vorging. Sie konnten zum ersten Mal genau ausrechnen, wie hoch der *Gewinn* ihres Unternehmens war. Vielleicht noch wichtiger war, dass sie ein Zahlenbild ihrer Firma aufstellen konnten, das auch andere verstanden. Damit konnten die Kaufleute ihr Wissen mit anderen teilen, mehrere Geschäftspartner konnten sich zusammentun, das Geschäft wuchs. Und es wurde für sie leichter, sich Geld zu leihen, denn sie konnten einem Geldgeber ganz einfach vorrechnen, ob sich ihr Geschäft rentierte oder nicht. Von Italien aus eroberte die neue Methode ganz Europa. Wer sie anwandte, hatte in der Regel mehr Erfolg als der, der sie ablehnte.

Uhren

Ordnung für die Zeit

Für einen Kaufmann kommt es nicht nur darauf an, wie hoch Einnahmen und Ausgaben sind, sondern auch darauf, wann diese anfallen. Er sollte also im eigenen Interesse nicht nur den Fluss des Geldes, sondern auch den der Zeit messen.

Schon die Ägypter und Sumerer maßen die Zeit: Anhand der Beobachtung von Sonne, Mond und Sternen teilten sie den Jahresverlauf in Abschnitte und stellten die ersten Kalender auf. Auch einzelne Abschnitte des Tages wurden markiert, wobei die ägyptischen Gelehrten nachts den Verlauf der Sterne und tags Wasseruhren zu Hilfe nahmen, bei denen Wasser in einer genau bemessenen Zeit aus dem einen in ein anderes Gefäß tropfte. Sie teilten Tag und Nacht in jeweils zehn Stunden ein, für Morgen- und Abenddämmerung gab es nochmals je zwei Stunden. Diese Einteilung des Tages in insgesamt 24 Stunden blieb bis zum heutigen Tage erhalten. Allerdings waren die Stunden damals nicht gleich lang: Weil Sonnenaufgang und Sonnenuntergang die Grenzen des Tages markierten, dauerten die Stunden im Sommer länger als im Winter. Auch später orientierte sich die Zeiteinteilung meist am Stand der Sonne. Häufig oblag es Priestern und Königen, ihr eigenes Zeitsystem zu installieren und festzulegen, »was die Stunde geschlagen hat«. Die Vorstellung, dass die Zeit überall und immer gleich schnell vergeht, war den Menschen der Antike fremd.

Im Mittelalter wuchs der Bedarf an exakter Zeitmessung. Das hing in erster Linie mit den Klöstern zusammen. Das Leben nach der Regel des heiligen Benedikt verlangte

strengste Disziplin. Die Mönche mussten zu den gemeinsamen Gebeten und zu den Mahlzeiten pünktlich sein; kam ein Klosterbruder zu spät, wurde er bestraft. Gläubige Menschen außerhalb der Klöster versuchten es den Mönchen gleichzutun und orientierten sich ebenfalls an den klösterlichen Stundengebeten.

Auf der Suche nach einer exakten Zeitmessung hatten einer oder mehrere Männer eine geniale Idee: Sie bauten aus Zahnrädern, Waagebalken und Spindeln eine *mechanische Uhr.* Das Uhrwerk setzte mit Hilfe von Zahnrädern die waagrechte Bewegung des Waagebalkens in die kreisförmige Bewegung eines Uhrzeigers um (der zweite Zeiger kam erst später dazu). Die ersten Uhren waren nach unseren Maßstäben ziemlich ungenau, denn noch gab es nicht das richtige Werkzeug, um Zahnräder exakt zu feilen und zu schleifen. Aber die Uhren waren viel genauer als alle früheren Messinstrumente und sie waren unabhängig vom Lauf der Sonne und vom Willen von Priestern und Fürsten. Wer die Uhr wirklich erfunden hat, weiß niemand. Aber wir vermuten, dass das Ereignis zwischen 1280 und 1300 stattgefunden hat, vielleicht sogar an mehreren Orten Europas gleichzeitig.

Die Einführung der mechanischen Uhr hatte Folgen, an die ihre Erfinder vermutlich nicht mal im Traum gedacht haben. Zunächst einmal wurde die seit dem Zugriff der Kirche entzogen und dem gewöhnlichen Volk zugänglich gemacht – man kann sogar sagen: demokratisiert. Die Uhr wurde zwar oben am Kirchturm angebracht, aber jeder, der wollte, konnte sie sehen und wusste, wie spät es ist.

Außerdem sahen die Menschen, dass die Uhr immer gleich läuft, unabhängig von den kirchlichen Festen, an denen sich früher der Jahresablauf orientierte. Damit wurde die Zeit zu einem abstrakten Naturphänomen, das unabhängig vom Willen der Menschen existierte, unabhängig vom Willen der Mächtigen und auch unabhängig davon, wo man sich gerade auf der Erde aufhielt. Eine wahre Erweiterung des Denkraumes.

Für die Kaufleute dürfte schnell klar gewesen sein, was die Uhr bedeutete: Sie konnten jetzt nicht nur mit Geld, sondern auch mit der Zeit rechnen. Es ging nicht mehr nur darum, Kosten zu sparen, sondern auch Zeit. Jeder hörte jetzt die Kirchturmuhr schlagen, also konnte jeder auch für sich selber seinen Zeithaushalt wirtschaftlich regeln. Das hatte weitreichende Konsequenzen: Die alltägliche Zeit gewann an Bedeutung, der Gedanke an die Ewigkeit als Bezugspunkt des Lebens verblasste. Es war wichtiger, in der Werkstatt zu arbeiten, als in die Kirche zu gehen, die Menschen lösten sich ein klein wenig von den Unterweisungen der Kirche – alles Voraussetzungen für ein neues

Menschenbild: das der Renaissance, die das Mittelalter im 15. Jahrhundert ablösen sollte.

Die Arbeitsdisziplin nahm zu. Früher hingen Arbeitsbeginn und -ende von Wind und Wetter ab, aber auch von den Bedürfnissen von Meister und Gesellen; zum Beispiel war es üblich, dass Letztere montags ihren Rausch vom Sonntag ausschlafen konnten (»Blauer Montag«). Das änderte sich nun langsam, aber beharrlich. Bereits im 16. Jahrhundert galten in den Bergwerken im Harz fest geregelte Arbeitszeiten. Und weil Uhren sehr genau sein mussten, entstand mit den Uhrmachern ein Handwerk, in dem jeder lernte, auf Präzision zu achten. Und das wiederum wirkte auf das gesamte Wirtschaftsleben zurück.

Der Sozialwissenschaftler *Lewis Mumford* (1895 – 1990) bezeichnete die Uhr als eine »Urmaschine«. Nach seiner Meinung hat erst die mechanische Uhr ein modernes Wirtschaftsleben, Rationalität und Fabriken möglich gemacht. Bis ins ausgehende Mittelalter war Europa den islamischen Staaten wirtschaftlich unterlegen. Mit der Erfindung der Uhr begann Europas Aufstieg zur Weltherrschaft. Uhren waren als Exportartikel aus Europa in Indien, China und in Afrika schon bald heiß begehrt.

Gewürze

Wege nach Indien

Die Kreuzzüge waren geplant als Eroberungskriege, ihr Ergebnis war die Öffnung Europas zur Welt. Der Handel über das Mittelmeer nahm immer mehr zu. Waren aus Indien und sogar China kamen nach Europa. Der venezianische Kaufmann *Marco Polo* (1254 – 1324) reiste 1271 in sagenumwobener Fahrt als junger Mann über Bagdad und Persien bis nach Peking. Er erwarb das Vertrauen des Kublai Khan, des Herrschers der Mongolen. Über zwanzig Jahre später kehrte er in seine Heimat zurück; seine Berichte – auch wenn er sie vielleicht etwas ausschmückte – veränderten das Bild, das sich die Europäer von der Welt machten. Venedig, die Heimat Marco Polos und Luca Paciolis, damals eine unabhängige Republik, wurde zur mächtigsten und reichsten Stadt am Mittelmeer. Sie verwies ihre alte Konkurrentin Genua auf den zweiten Rang.

Die Venezianer erwirtschafteten ihren Reichtum mit Handelsfahrten ins damals noch christliche Konstantinopel und ins ägyptische Alexandria. Von dort brachten die Schiffe die Reichtümer des Orients mit, aus Indien, Persien und China. Der Ruf Indiens wuchs so ins Sagenhafte. Die Venezianer brachten Edelsteine mit, Tuche, Seide, vor allem aber Gewürze. Vanille, Pfeffer, Muskatnuss und Gewürznelken waren im Mittelalter wertvoll und teuer. Eine Muskatnuss soll in Venedig einmal mit Gold aufgewogen worden sein. Um dies zu verstehen, muss man sich die Essgewohnheiten des ausgehenden Mittelalters vor Augen halten. Vor allem nördlich der Alpen ernährte man sich notgedrungen eintönig. Viele Dinge, die wir heute auf unserem Speisezettel haben, gab es noch nicht: Kartoffeln und Tomaten kamen erst nach der Entdeckung Amerikas 1492 nach Europa. Es gab weder Kaffee noch Tee, noch Kakao. Obst und Südfrüchte konnten nicht in angemessener Zeit transportiert werden. Die Menschen aßen wenig Gemüse oder gar Salat, stattdessen Getreidebrei, Brot und sehr viel Fleisch; dieses Fleisch wurde, um es haltbar zu machen, mit Salz gepökelt. Pökelfleisch schmeckte fad und war häufig zäh; um es genießbarer zu machen, brauchte man Gewürze, und zwar Gewürze, die im nördlichen Klima gar nicht gediehen, sondern in Indien und auf den Inseln des Indischen Ozeans (»Gewürzinseln«).

Der Gewinn bringende Indienhandel ging so lange gut, bis die Türken Kleinasien eroberten, das bisher zum Byzantinischen Reich gehört hatte. Byzanz war Erbe der östlichen Hälfte des Römischen Reiches gewesen und hatte die römische mit der griechischen Kultur verschmolzen. Auch eine eigene christliche Kirche hatte sich dort entwickelt, die griechisch-orthodoxe Kirche mit dem Patriarchen von Konstantinopel als Oberhaupt. Nach langem Kampf unterwar-

fen die Türken am 29. Mai 1453 Konstantinopel, gaben der Stadt den Namen Istanbul und machten aus ihr die Hauptstadt ihres Reiches. Damit war der alte Handelsweg vom Mittelmeer über Persien nach Indien fürs Erste versperrt. Wollte man weiter in den Genuss der Luxusgüter und Gewürze Indiens kommen, musste man einen anderen Weg suchen, und der konnte nur auf dem Meer rund um Afrika führen.

Bei dieser Suche tat sich eine junge Seefahrernation hervor, von der die übrigen Europäer bisher wenig gehört hatten: Portugal, im äußersten Westen der Iberischen Halbinsel gelegen. Portugiesische Seefahrer begannen im 15. Jahrhundert, an der Westküste Afrikas entlangzusegeln auf der Suche nach einer Passage nach Osten. Sie gründeten Handelsniederlassungen an der afrikanischen Küste. Den Schwarzen boten sie billigen Tand an. Glasperlen zum Beispiel oder Alkohol; sie bekamen dafür Gold und Edelsteine. Der portugiesische Abenteurer *Vasco da Gama* erreichte schließlich 1498 als erster Europäer die Südspitze Afrikas, das Kap der Guten Hoffnung, er segelte in den Indischen Ozean und erreichte tatsächlich Indien. Asiatische Städte wie Goa, Hormus oder Malakka wurden portugiesisch, und ein florierender Handel mit Gewürzen machte jetzt nicht mehr Venedig, sondern Portugal reich.

Die Portugiesen dehnten ihren Handel auf nicht gerade friedliche Weise aus. Sie eroberten ihre Handelsplätze mit Gewalt von den Einheimischen und gingen dabei oft mit großer Brutalität vor. Aus einigen dieser Handelsplätze wurden Kolonien; Soldaten, Kaufleute und christliche Missionare arbeiteten Hand in Hand. Europa begann den Aufbau der Weltwirtschaft mit blutigen Mitteln.

Eroberung

Das Erbe des Christoph Kolumbus

Der Seeweg um die Südspitze Afrikas nach Indien kostete viel Zeit und war beschwerlich. Schon lange ehe Vasco da Gama sein Ziel erreichte, suchten andere Seefahrer und Kaufleute daher nach einer bequemeren und schnelleren Alternative. Dabei machten sie sich eine Entdeckung des polnischen Astronomen *Nikolaus Kopernikus* zunutze. Früher hatte man in Europa geglaubt, die Erde sei genau so beschaffen, wie es in der Bibel steht: eine Scheibe mit dem Himmel als Kuppel darüber. Wenn jemand an den Rand dieser Scheibe käme, so dachten die Menschen im Mittelalter, dann würde er hinunterfallen, vermutlich in die Hölle. Kopernikus fand nun durch die Beobachtung der Sterne heraus, dass diese Theorie nicht stimmen konnte, er vertrat die revolutionäre Meinung, dass die Erde eine Kugel sein musste, die um die Sonne kreist. Nur dann nämlich ließ sich der beobachtete Lauf der Sterne erklären. Es war eine Theorie, die aufzustellen viel Mut erforderte, denn die Kirche bestand darauf, dass die Wirklichkeit genau so war, wie es in der Bibel stand. Wenn die Theorie aber stimmte, dann musste man logischerweise nach Indien kommen, wenn man von Europa aus nach *Westen* segelte.

Ein entscheidender Tag für die praktische Umsetzung dieser Theorie war der 13. August 1476. An diesem Tag segelte ein kleiner Konvoi Genueser Schiffe auf dem Atlantik vor der portugiesischen Küste. Die Schiffe hatten wertvolle Ware geladen, um sie nach England zu bringen. Plötzlich standen sie einer portugiesischen Flotte gegenüber, es kam zu einer blutigen Seeschlacht, Hunderte von Seeleuten ertranken. Ein Genuese jedoch konnte sich auf einem Balken vor dem Tod retten und wurde an die Küste geschwemmt. Sein Name war Christoph Kolumbus. Der junge Mann kehrte nicht zurück nach Italien, sondern blieb in der portugiesischen Hauptstadt Lissabon. Hier rechnete er sich größere Chancen aus, um mit seinem Ehrgeiz weiterzukommen. Hier landeten die Schiffe, die an der afrikanischen Küste entlanggesegelt waren. Sie brachten Elefantenzähne mit, aus denen man Elfenbein machte, Gold – und schwarze Sklaven.

Kolumbus arbeitete in Lissabon als Kartenzeichner und Bibliothekar, dabei brachte er sein Wissen über Geographie und Sternkunde auf den neuesten Stand. Er hörte von den Theorien, wonach die Erde eine Kugel sei und man nach Indien und China auch kommen musste, wenn man in den Atlantik hineinsegelte. Im Jahre 1484 unterbreitete er dem portugiesischen König seinen Plan, diesen Seeweg zu suchen, und bat ihn um Schiffe und Ausrüstung. Damals war der Weg rund um Afrika noch gar nicht entdeckt, den Beratern des Königs erschienen die Pläne des Genuesen als völlig phantastisch. Sie kamen zu dem Schluss, Kolumbus müsse wohl ein Aufschneider und Schwindler sein, und schickten ihn weg.

Kolumbus kämpfte acht Jahre lang für seinen Plan. Als er am portugiesischen Hof gescheitert war, versuchte er, das spanische Königspaar Ferdinand und Isabella zu überzeugen, unternahm einen Vorstoß beim König von Frankreich und nochmals bei den Portugiesen, bis sich schließlich Ferdinand und Isabella doch durchrangen, das riskante Unternehmen zu unterstützen. Kolumbus bekam von der spanischen Krone drei Schiffe, die *Santa Maria*, die *Pinta* und die *Nina*. Auf diesen stach er mit einer kleinen Mannschaft am

Morgen des 3. August 1492 in See. Er lief die Kanarischen Inseln an und fuhr dann von dort direkt nach Westen. Am 12. Oktober ging er an der Küste einer Insel in der Karibik vor Anker, die er »San Salvador« (Heiliger Erlöser) taufte und von der er dachte, sie sei Indien vorgelagert. Die Bewohner, die ihn freundlich aufnahmen, nannte er demzufolge »Indianer«. Am 27. Oktober entdeckte er Kuba, am 6. Dezember Haiti. Bis zu seinem Tode glaubte Kolumbus, er habe einen Seeweg nach Indien entdeckt. Erst Amerigo Vespucci, ein italienischer Seefahrer in portugiesischen und spanischen Diensten, kam bei seinen Reisen zwischen 1499 und 1502 darauf, dass Kolumbus in Wirklichkeit an einem bisher unbekannten Kontinent gelandet war. Der deutsche Geograph Matthias Ringmann bezeichnete Vespucci daraufhin als den Entdecker dieses Kontinents und gab der »Neuen Welt« den Namen »America«.

Kolumbus nahm das neue Land für die spanische Krone in Besitz, so wie das damals üblich war: Land, das keinem christlichen Fürsten gehörte, galt als herrenlos und konnte von demjenigen unter seine Herrschaft gebracht werden, der es zuerst betrat. Hierbei stand Kolumbus ein ganz klares Ziel vor Augen: Er wollte Gold nach Hause bringen, um den Reichtum der spanischen Königsfamilie zu mehren und um Ferdinand und Isabella zu veranlassen, weitere Reisen auszurüsten. Als sich in einem Fluss im heutigen Haiti Gold fand, hatte sich die Reise aus seiner Sicht schon gelohnt. Kolumbus war aber auch ein sehr frommer Mann und wollte die halbnackten »Wilden«, die er an der amerikanischen Küste und auf den Inseln der Karibik fand, zum Christentum bekehren.

Außerdem ließ sich mit den so genannten Indianern Handel treiben. Aber was für ein Handel war das! Die Indianer hatten keine Vorstellung von Eigentum und von den Preisen europäischer Produkte. Für sie war Handeln noch, wie in Europa vor Jahrtausenden, ein Austausch von Geschenken und Gegengeschenken. Sie gaben den Fremden alles, was sie hatten, sie forderten sie auf, alles mit ihnen zu teilen, und dankbar nahmen sie die Glasperlen und den übrigen Tand von den spanischen Matrosen an. Kolumbus bekam schließlich ein schlechtes Gewissen und verbot seinen Matrosen wenigstens, den Indianern Scherben und Bindfäden anzudrehen. Aber sehr weit her war es mit seinem Gerechtigkeitssinn dann doch wieder nicht. »*Diese Menschen sind völlig unbewandert im Waffenhandwerk*«, schrieb er in sein Tagebuch. »*Mit fünfzig Mann können sie sämtlich leicht unterworfen und zu allem gebracht werden, was wir von ihnen wünschen.*« Auf Deutsch: Zu Sklaven wollte er sie machen.

So zeigte sich bereits ganz früh der Charakter einer der grausamsten Epochen der europäischen Zivilisation: der Eroberung Amerikas. Das System des Handels, das Wohlstand und Frieden schaffen konnte, wandelte sich in dem Augenblick, als die europäische einer unterlegenen Kultur gegenübertrat, in ein rücksichtsloses System der Ausbeutung, dem dann unzählige Menschen zum Opfer fielen. Die Kariben, also die Indianer auf den karibischen Inseln, wurden fast völlig ausgerottet. Die Spanier richteten furchtbare Massaker an, die Menschen wurden, so berichteten Missionare, in Depression und tiefe Verzweiflung gestürzt. Viele begingen Selbstmord, Frauen und Männer hörten auf, miteinander zu schlafen und Kinder zu bekommen. Die von den Weißen eingeschleppten Krankheiten, besonders die Pocken, taten den Rest.

Später zerstörten spanische Eroberer (»Konquistadoren«) mit unvorstellbarer Grausamkeit die indianischen Hochkulturen der Azteken in Mexiko und der Inka in Peru. Allerdings darf man sich von diesen Hochkulturen auch kein falsches Bild machen. Sie selbst bauten auf Unterdrückung und Sklavenarbeit. Deshalb bekamen die Konquistadoren bei ihrem Zug gegen die Azteken und Inka Unterstützung auch von anderen indianischen Völkern. Dies erklärt, weshalb die ungebildeten Abenteurer aus Europa mit ihren primitiven, undisziplinierten Männern die jahrhundertealten Reiche innerhalb weniger Wochen zerstören konnten. Die Spanier und Portugiesen (sie eroberten Brasilien) machten aus Südamerika Kolonien und beuteten das Land rücksichtslos aus. Im 19. Jahrhundert wurden die Kolonien selbstständig. Aber das Erbe der Unterdrückung blieb in vielen lateinamerikanischen Staaten bis heute lebendig. In Mexiko kam es noch Ende des 20. Jahrhunderts zu einem Aufstand der indianischstämmigen Bevölkerung im Süden des Landes, in Ecuador führten Spannungen zwischen Indianern und Weißen zum Sturz der Regierung. Viele Staaten blieben bis heute wirtschaftlich rückständig.

Sklavenhandel

Afrikas Katastrophe

Als die Europäer mit den Einwohnern Amerikas in Kontakt kamen, zweifelten sie zunächst daran, dass es sich bei den Indianern überhaupt um Menschen handelte. Einige der Eroberer bezeichneten sie schlicht als »Hunde«. Der Papst entschied den Disput zwar dahingehend, dass die nackten »Wilden« tatsächlich Menschen seien, behandelt hat man sie aber nicht danach: Sie wurden versklavt und mussten in den Bergwerken der Anden oder auf den neuen Zuckerplantagen Zwangsarbeit leisten. Der Preis dafür war furchtbar: Die Zwangsarbeiter starben wie die Fliegen, die indianische Bevölkerung verschwand von den karibischen Inseln, auf dem übrigen Kontinent wurde sie dramatisch dezimiert.

Bald gab es nicht mehr genügend Indianer, die die Spanier und Portugiesen – Letztere in Brasilien – hätten versklaven können. Zwischen 1500 und 1510 beschlossen einige der Eroberer aus diesem Grund, Sklaven aus Afrika zu importieren. Die Spanier hatten schon Erfahrung mit schwarzen Sklaven auf den Zuckerrohrplantagen der Kanarischen Inseln und glaubten – zu Recht –, dass die Afrikaner die harte Arbeit besser aushalten würden als die Indianer. So kam es zu einer der größten und grausamsten Völkerwanderungen der Weltgeschichte. Schätzungsweise 11 Millionen Menschen wurden in den nächsten 350 Jahren unter unmenschlichen Bedingungen versklavt, viele verloren ihr Leben.

Diese Rückkehr der uralten Praxis, dass Menschen andere Menschen als ihr Eigentum betrachteten, war zunächst überraschend, denn im europäischen Mittelalter hatte die Sklaverei längst nicht die Bedeutung gehabt wie im antiken

Rom oder in den anderen Mittelmeerkulturen. Nicht dass die europäischen Christen grundsätzlich etwas gegen die Sklaverei gehabt hätten, nein, es fehlten einfach die wirtschaftlichen Voraussetzungen dafür: Die Rolle der Sklaven auf den antiken Latifundien hatten in den mittelalterlichen Dörfern die leibeigenen Bauern übernommen. Sie waren zwar abhängig, konnten aber, im Gegensatz zu Sklaven, nicht verkauft werden. Trotzdem gab es in Europa immer auch echte Sklaven, die in den Häusern und auf den Feldern arbeiten mussten. Europäische Kaufleute handelten mit Sklaven aus Osteuropa. Das merkt man bis heute: Die Wörter »Sklave« und »Slawe« für einen Angehörigen der osteuropäischen Sprachfamilie haben dieselbe Wurzel. Die italienische Grußformel ciao kommt ebenfalls aus dem Wort *schiavo* = Sklave. Die Sklaven wurden in das Byzantinische Reich verkauft oder auch in die islamischen Länder.

Etwas vor allem unterschied die moderne Sklaverei von der alten: Die Sklaven kamen jetzt ausschließlich von einem anderen Kontinent als die Sklavenhalter, nämlich Afrika. Sie sahen anders aus und waren daher wegen ihrer dunklen Haut sofort als Unfreie zu erkennen. Und sie wurden nicht in den Sklavenhalterstaaten selbst eingesetzt, sondern in deren Kolonien, so dass viele Europäer selbst gar keine Sklaven zu Gesicht bekamen. Auch auf die Jagd nach Sklaven mussten die Europäer nicht selbst gehen, die Spanier und Portugiesen kauften sie in Handelsstationen an der afrikanischen Westküste (»Sklavenküste«), vor allem an den Flussmündungen des Kongo oder des Senegal, von arabischen oder afrikanischen Zwischenhändlern.

Innerhalb der alten afrikanischen Königreiche war Sklaverei gang und gäbe. In Arabien und im Norden Afrikas hatte der Sklavenhandel mit der Ausbreitung des Islam nach dem

7. Jahrhundert sogar einen neuen Aufschwung genommen. Im Palast des Kalifen von Bagdad sollen im 10. Jahrhundert nicht weniger als 11 000 Sklaven gearbeitet haben. Der Koran verbietet die Sklaverei nicht, ebenso wenig wie die Bibel der Christen oder der Talmud der Juden. Allerdings ist es gläubigen Moslems untersagt, andere Gläubige zu versklaven, daher ergab sich automatisch die Notwendigkeit, Nachschub aus fernen Ländern zu holen – aus Ostafrika, besonders dem heutigen Kenia, und aus Westafrika, von wo die Sklaven quer durch die Sahara getrieben wurden. Auf diesen Strukturen konnten die christlichen Sklavenhändler aufbauen.

Am transatlantischen Sklavenhandel beteiligten sich Portugiesen, Spanier, Holländer, Engländer und Franzosen. Oft war es nicht so leicht auszumachen, ob es sich bei den Händlern um normale Kaufleute handelte oder um Piraten.

Der Sklavenhandel selbst war unvorstellbar grausam. Die Sklaven – Männer, Frauen und Kinder – wurden von den afrikanischen Fängern angekettet den Händlern übergeben. Diese bezahlten für ihre »Ware« mit Schießpulver, Schnaps, Glasperlen, Stoffen und anderen europäischen Gütern. Wenn Käufer und Verkäufer handelseinig waren, brandmarkten die Händler ihre soeben erworbenen Sklaven wie Vieh mit glühenden Eisen. Bei der Überfahrt auf dem Sklavenschiff mussten die Schwarzen Seite an Seite unter Deck liegen. Der knappe Raum auf dem Schiff sollte so effektiv wie möglich genutzt werden. Dabei waren die Menschen nackt – um dem Befall durch Ungeziefer vorzubeugen – und angekettet, um Flucht oder Meuterei zu verhindern. Ein erheblicher Teil der »Fracht« starb schon während der Überfahrt an Krankheiten und Unterernährung. Historiker schätzen, dass mindestens ein Zehntel aller Sklaven auf der Überfahrt ums Leben kamen, also weit über eine Million Menschen.

In Amerika mussten die Sklaven vor allem auf den Kaffee-, Zuckerrohr- und Baumwollplantagen unter härtesten Bedingungen arbeiten. Machte einer einen Fehler, wurde er ausgepeitscht. Sklaven durften keine Familie gründen. Lebten zwei von ihnen trotzdem als Mann und Frau zusammen und hatten Kinder, dann konnten sie jederzeit voneinander getrennt werden, wenn es ihrem Besitzer gefiel. Kein Wunder, dass es auf dem amerikanischen Kontinent immer wieder Sklavenaufstände gab; sie wurden alle blutig niedergeschlagen, bis auf einen: In der französischen Kolonie im Westen der Karibikinsel Santo Domingo erhoben sich 1791, während der Französischen Revolution, die Sklaven. Sie übten blutige Rache an den weißen Unterdrückern, vertrieben sie und riefen 1804 den unabhängigen Staat Haiti aus.

Andere versuchten, durch Flucht der Sklaverei zu entkommen. In der niederländischen Kolonie Surinam bildeten entflohene Sklaven am Ende des 17. Jahrhunderts eine Gemeinde, die bis heute überleben konnte.

Europäer und deren Nachkommen in Amerika waren verantwortlich für eine der grausamsten Formen der Sklaverei, ihnen kommt allerdings auch das Verdienst zu, die Abschaffung der Sklaverei auf der Welt durchgesetzt zu haben. Die Motive waren anfangs rein religiöser und philosophischer Art.

Im Jahr 1759 beschloss die »Gesellschaft der Freunde«, eine religiöse Sekte, die unter dem Namen »Quäker« bekannt wurde, in Philadelphia in der nordamerikanischen Kolonie Pennsylvania, Sklavenhalter aus ihrer Gemeinschaft auszuschließen. George Washington, der erste Präsident der Vereinigten Staaten, besaß noch Sklaven, aber er verfügte, dass sie nach seinem Tod freigelassen wurden. Im Jahr 1777 verbot der US-Bundesstaat Vermont als erstes Territorium der Welt die Sklaverei vollständig. Der erste europäische Staat, der die Sklaverei untersagte, war 1803 Dänemark. Vom 1. Januar 1808 an wurde der Sklavenhandel im gesamten britischen Weltreich untersagt. In den Vereinigten Staaten focht der Norden, der die Sklaverei bereits abgeschafft hatte, einen blutigen Bürgerkrieg gegen die Sklavenstaaten des Südens. Er dauerte von 1860 bis 1865; an dessen Ende wurde in den gesamten USA die Sklaverei untersagt.

Heute ist die Sklaverei weltweit geächtet; allerdings gibt es auch heute noch immer wieder Berichte aus afrikanischen, arabischen und asiatischen Ländern, nach denen dort Dienstboten und Arbeiter wie Sklaven ohne eigene Rechte gehalten werden.

Für Afrika bedeutete die Sklaverei eindeutig eine Katastrophe. Umstritten ist die Frage, ob die Sklaverei den Sklavenhaltergesellschaften insgesamt genützt hat. Der Ökonom *Adam Smith* glaubte, die Arbeit freier Bauern und freier Arbeiter sei effizienter als die der Sklaven, weil freie Menschen sich selbst um die Erhaltung ihrer Arbeitskraft kümmern, während Sklaven dazu gar keine Möglichkeit haben. Deshalb habe die Sklaverei im Laufe der Wirtschaftsgeschichte immer mehr an Bedeutung verloren.

Andere Ökonomen sehen das differenzierter. Der Wirtschaftshistoriker *Robert Fogel*, der für seine Forschungen den Nobelpreis erhielt, fand heraus, dass 1860, also kurz vor Ausbruch des Amerikanischen Bürgerkrieges, Farmen mit Sklavenarbeit in den Südstaaten der USA um 28 Prozent produktiver waren als solche mit freien Farmarbeitern. Generell waren die Farmen in den Sklavenstaaten des Südens um 35 Prozent effektiver als die im freien Norden, obwohl die Sklaven materiell nicht wesentlich schlechter gestellt waren als die freien Arbeiter. Die Schlussfolgerung ist klar: Auch eine zutiefst unmoralische gesellschaftliche Ordnung kann wirtschaftlich leistungsfähig sein. Die Sklaverei ist nicht untergegangen, weil sie ineffizient gewesen wäre, sondern weil die christlich und humanistisch geprägten Staaten eine bewusste Entscheidung gegen dieses System getroffen haben und weil in den Vereinigten Staaten ein Bürgerkrieg um die persönliche Freiheit aller Menschen geführt wurde. Immer wieder muss man sich auch heute noch notfalls gegen ökonomische Interessen für die Grundwerte der Menschheit einsetzen.

Wechsel

Geschäfte mit dem Risiko

Dem Mutterland Spanien brachte das Gold aus der Neuen Welt zunächst einmal phantastischen Reichtum. Die erste Ladung schickten Ferdinand und Isabella an den Papst, der damit angeblich eine Kuppel in der Kirche Santa Maria Maggiore in Rom vergolden ließ. Um ihre Macht und den Reichtum Spaniens zu demonstrieren, ließen die beiden »katholischen Majestäten« 1497 in einem Dekret alle bisherigen Münzen in ihrem Reich für ungültig erklären. Eine neue Münze wurde geschaffen, die den Wert von zwei venezianischen Golddukaten hatte und deshalb den Namen »Dublone« erhielt. Es war das frühe Beispiel für eine gelungene Währungsreform. Die Dublone behielt ihren Wert über zwei Generationen.

Das Gold aus Amerika veränderte Spanien, aber nicht zum Guten. Die spanische Nation war zwar steinreich, aber auf eine gefährliche Weise. Die Spanier hatten Geld, sie schufen jedoch keine zusätzlichen Waren zu diesem Geld. Deshalb stiegen die Preise, ärmere Spanier konnten sich viele Waren nicht mehr leisten, ihre reichen Landsleute kauften immer mehr Waren im Ausland ein. Für das Ausland, also für den Rest von Europa, war das gut. Der Geldsegen aus Spanien ließ den Handel und die Wirtschaft insgesamt aufblühen.

Schon vor der Entdeckung Amerikas hatte sich das Geldwesen in Europa langsam wieder zu entwickeln begonnen. Im Jahr 1252, also während der Kreuzzüge, waren erstmals wieder Goldmünzen geprägt worden. Der beginnende Geldverkehr hatte Handel und Wandel rasch vorangebracht. Seit die Spanier nun ihre Goldminen in der Neuen Welt ausplünderten, ging alles viel schneller. Nach heutigen Berechnungen könnte sich die Menge des umlaufenden Geldes nach der Entdeckung Amerikas in Europa binnen kurzem verzehnfacht haben.

Gold wurde auch aus Afrika importiert, gleichzeitig entdeckte man im Harz, im Schwarzwald und in Ungarn neue Silbervorkommen, der Umlauf von Silbergeld nahm noch mehr zu als der des Goldes. Im Deutschen Reich verbreitete sich eine Goldmünze, der rheinische Gulden, der in 20 Schillinge und 240 Pfennige aufgeteilt wurde. Wegen der wachsenden Silberaufkommen wurde zusätzlich eine große Silbermünze geprägt, der Taler. Das alles führte dazu, dass die Preise stiegen; da aber – außerhalb Spaniens – auch zusätzliche Waren für den Austausch bereitstanden, blühten Handel und Gewerbe auf. In einer Gesellschaft, in der es bisher zu wenig Geld gab, wirken zusätzliche Münzen wie eine Flüssigkeit, die die Güter des Landes beweglicher macht. Bis heute sagt man von jemandem, der ausreichend Bargeld zur Verfügung hat, er ist »flüssig«; entsprechend nennt man Geld auch *Liquidität* (lateinisch: *liquidus* = flüssig). Eine wichtige Konsequenz dieser Entwicklung war, dass es leichter war, Geld zu leihen; die Zinsen für Schuldner sanken.

Das neue Geld weckte neue Bedürfnisse und schuf neue Möglichkeiten. Kaiser und Könige, aber auch Patrizierfamilien entwickelten eine Lust am Luxus. Das sieht man an den Schlössern, Rathäusern und Bürgervillen, die in der damaligen Zeit, der *Renaissance,* in Italien, den Niederlanden und in vielen Teilen Deutschlands entstanden. Man merkte es aber auch an kleinen Dingen: Wer es sich leisten konnte, kleidete sich feiner, in vornehmen Familien wurde es üblich,

Tischdecken und Servietten zu verwenden. Und schließlich konnten Fürsten nun mehr Männer bezahlen, um Kriege zu führen. Es begann die Zeit der Landsknechte.

Einmal an das Geldausgeben gewöhnt, brauchten die Fürsten immer mehr davon – und häufig sogar mehr, als sie hatten. Das ist nicht verwunderlich, denn Krieg ist, wie man weiß, ein riskantes Geschäft, man kann ihn auch verlieren. Daher gingen manche Fürsten dazu über, sich das Geld zu leihen. Dem Verleiher zahlten sie Zinsen und verpfändeten, für den Fall, dass sie den Krieg verloren, Teile ihres Staatsschatzes. Konnte der Fürst seine Schulden nicht zurückzahlen, bekam der Verleiher Grund und Boden oder andere Rechte zugesprochen – vorausgesetzt, der Fürst hielt sich an die Verträge. Das Verleihen von Geld, der *Kredit*, wurde auf diese Weise zu einem Instrument, mit dem sich viel Macht ausüben ließ.

Geldleiher gab es schon seit Jahrhunderten. Zum Beispiel konnte es vorkommen, dass ein Bauer eine schlechte Ernte hatte und sich Geld leihen musste, um seine Familie zu ernähren und Saatgetreide zu kaufen. Schlimmer noch: Er brauchte das Geld, um die drückenden Abgaben an den König bezahlen zu können. Die Zinsen waren oft so hoch, dass Bauern ihre Schulden nie mehr zurückzahlen konnten. Dann gerieten sie in die Schuldknechtschaft und im schlimmsten Fall in die Sklaverei. Dies ist einer der Gründe, weshalb Philosophen, Priester und Kirchenväter das Zinsnehmen verboten haben: »*Wenn du Geld verleihst an einen aus meinem Volke, an einen Armen neben dir, so sollst du an ihm nicht wie ein Wucherer handeln; du sollst keinerlei Zins von ihm nehmen*«, heißt es in der Bibel (*2. Mose 22,24*). Wer Zins nahm, galt im Mittelalter als Wucherer.

Die ersten Geldverleiher waren Geldwechsler, die in den

oberitalienischen Städten Bänke auf den Marktplätzen aufstellten. Deshalb nannte man sie *bancheri*. Glaubten die Kunden des *banchero*, der Verleiher habe sie betrogen, dann schlugen sie ihm die Bank in Stücke – eine kaputte Bank heißt auf Italienisch *banca rotta*.

Die italienischen Bankiers übernahmen im ausgehenden Mittelalter eine Erfindung arabischer Kaufleute: den *Wechsel*. Das Geschäft ging so: Ein Kaufmann zahlte einem Wechsler in Venedig eine bestimmte Summe, zum Beispiel 100 Dukaten. Dieser stellte ihm zum Ausgleich ein Zahlungsversprechen aus, den so genannten Wechselbrief. Diesen Brief konnte er dann in einer anderen Stadt, etwa in Genua, bei einem dortigen Bankier einlösen und erhielt dann genuesische Währung, um seine Geschäfte zu betreiben.

Schnell entwickelte sich das Instrument des Wechsels fort: Der Kaufmann musste nicht mehr vorher das Geld hinterlegen, sondern bekam den Wechselbrief auf Treu und Glauben. Auf diese Weise erhielt er einen Kredit (lateinisch: *credere* = glauben), der es ihm gestattete, Geschäfte in Erwartung eines guten Ertrages abzuschließen. Dieses Versprechen war Geld wert und damit im Grunde nichts anderes als Geld. Venezianische Kaufleute konnten so Schiffe für ausgedehnte Handelsreisen ausrüsten und erst mit dem Gewinn dieser Reisen ihre Wechsel zurückzahlen. Außerdem musste man den Wechsel nicht mehr selber einlösen, sondern konnte dies einem Geschäftsfreund übertragen. Auf diese Weise wurde der Wechsel zu einer Art Zahlungsmittel. Der Wechsel machte Geschäfte möglich, die sonst nicht zustande gekommen wären. Mit den spätmittelalterlichen Wechseln begann eine Entwicklung, die schließlich zu all den komplizierten Finanzinstrumenten der Gegenwart führte: Optionen, Futures und Versicherungen.

Kapital

Die Fugger

Welche Chancen und welche Gefahren das Instrument des Kredits mit sich brachte, zeigt das Schicksal einer berühmten Kaufmannsfamilie aus Augsburg: der Fugger. Deren Geschichte beginnt bereits im Jahre 1367. Damals zog Hans Fugger, der Sohn eines Bauern aus dem Dorf Graben im Lechfeld, in die Stadt Augsburg, um sich als Geselle bei einem Weber zu verdingen. Die Fugger waren seit jeher freie Bauern gewesen, sie hatten das Joch der Leibeigenschaft abwehren können. Wie in schwäbischen Bauernfamilien damals üblich, stand bei den Fuggers zu Hause ein Webstuhl. Auf den Feldern Süddeutschlands wuchs Flachs, den die Bauersfrauen und die Weber in den Städten zu Leinen verwoben, ein Stoff, aus dem man Kittel, Hosen und andere Kleidungsstücke machte. So hatte Hans Fugger bei seiner Mutter das Weben gelernt. In Augsburg stieg er schnell auf, denn er führte einige Neuerungen ein: Er ließ auf den Webstühlen Flachs mit Baumwolle verarbeiten. Das neue Gewebe nannte man »Barchent«, es war feiner und geschmeidiger als das reine Leinen. Früher konnten nur die Italiener guten Barchent herstellen, jetzt zogen die Augsburger Weber gleich.

Und Fugger dehnte sein Geschäft aus: Er verkaufte die Ware nicht mehr nur in der Stadt und ihrer Umgebung, sondern stieg in den Fernhandel ein. Baumwolle war eine neue Faser, die nur in warmen Ländern wuchs, die man also gegen Geld einführen musste. Ein erfolgsbedachter Weber musste sich folglich mit dem System der Geldwirtschaft vertraut machen. Auf diese Weise wurde Fugger immer mehr zum Kaufmann, der anderen Webern die Ware abkaufte und damit Handel betrieb. Die Stadt Augsburg lag für diese Zwecke günstig. Hier kreuzten sich die alten Handelsstraßen von Venedig nach Frankfurt und von Wien nach Straßburg. Hans Fugger schaffte es bereits, seine Familie zur mächtigsten in Augsburg zu machen. Sein Sohn Jakob Fugger (»der Alte«) wandelte die Firma in ein Handelshaus um, das in ganz Europa seine Niederlassungen hatte: von Nowgorod in Russland bis nach Sevilla in Spanien, von London bis nach Neapel. Und dessen Sohn Jakob (»der Reiche«), er lebte von 1459 bis 1525, machte aus dem Hause Fugger eine politische Macht in Europa. Sein Mittel dazu war eine einzigartige Mischung von Kaufmanns- und Bankgeschäften; sein Geld arbeitete für ihn, es wurde zu *Kapital*.

Jakob trat mit 19 Jahren in die Firma ein und wurde von seinem Vater zunächst nach Venedig geschickt. Eine Reise, für die man bei gutem Wetter etwa zehn Tage brauchte. In der Stadt, damals immer noch die reichste und mächtigste am Mittelmeer, gab es einen eigenen Handelshof für deutsche Geschäftsleute, den *Fondaco dei Tedeschi*. Dort konnte man Waren stapeln, es gab Schreibkontore, Schlafräume und die Möglichkeit, sich mit anderen Deutschen zusammenzutun. Jakob Fugger interessierte sich aber weniger für seine deutschen Landsleute als vielmehr für die Italiener. Sie waren gebildeter und geschickter als die Kollegen, mit denen er in seiner Heimat zu tun hatte. Vor allem lernte er in Venedig, wie man Bankgeschäfte betrieb; er begriff auch als einer der ersten deutschen Geschäftsleute, welchen Fortschritt die doppelte Buchführung brachte. Als er später die Firma leitete, führte er umgehend das neue Buchführungssystem ein; sein Buchhalter Matthäus Schwarz wurde später zu einer Legende. Vermutlich hat Schwarz einen ebenso großen Anteil am Erfolg wie Jakob Fugger selbst.

Zunächst jedoch tat Jakob im Alter von 26 Jahren, wie es sich für einen Firmenerben gehörte, Dienst in einem Außenposten, und zwar in Innsbruck. In der Hauptstadt von Tirol herrschte Herzog Siegmund von Habsburg, der den Beinamen »der Münzreiche» trug. Unweit von Innsbruck nämlich, in Schwaz am Rand des Karwendelgebirges, hatte man reiche Silbervorkommen entdeckt. Die Gruben setzten Siegmund in die Lage, reichlich Münzen zu prägen und auszugeben. Sein Problem war, dass sein Geldbedarf noch größer war als seine Geldquellen: Er führte Krieg gegen Venedig und die Schweiz, er prasste, baute prunkvolle Gebäude und hatte vierzig uneheliche Kinder zu versorgen.

Jakob Fugger nutzte die Schwächen Siegmunds geschickt und rücksichtslos aus: Das Geld, das er im Handel verdiente, setzte er für Finanzgeschäfte ein. Er lieh dem Herzog große Beträge und nahm dafür als Sicherheit die Rechte an den Tiroler Silberminen. Da Siegmund seine Schulden, wie zu erwarten, nicht zurückzahlen konnte, geriet diese Geldquelle in die Hände Fuggers. Und all die Kredite halfen dem Herzog nichts, bald musste er Tirol seinem Vetter Maximilian I. abtreten. Dieser vereinigte dann Tirol mit Österreich, verheiratete seinen Sohn Philipp mit der Erbin des spanischen Königshauses, Johanna, und machte Habsburg dadurch zum mächtigsten Herrscherhaus Europas – und sein Geldgeber und Geschäftspartner während dieses Aufstiegs war Fugger. Schließlich wurde Maximilian im Jahre 1508 zum deutschen Kaiser gewählt.

Die beiden begegneten sich zum ersten Mal auf dem Reichstag, also der Versammlung der deutschen Fürsten, die

Jakob der Reiche

1489 in Frankfurt tagte. Maximilian brauchte Geld, um das Land Tirol zu erwerben, um Kriege und seinen Lebenswandel zu finanzieren, der mindestens ebenso aufwändig war wie der seines Vetters Siegmund. In den Jahren 1487 bis 1494 lieh Fugger dem Haus Habsburg 620 000 Gulden, eine für damalige Verhältnisse phantastische Summe, besonders wenn man bedenkt, dass das Vermögen Fuggers und seiner Brüder offiziell nur etwas über 50 000 Gulden betrug. Das war nur möglich, weil Fugger aus seinem Handelshaus eine richtige Bank gemacht hatte. Er verlieh nicht nur sein eigenes Geld, sondern auch das anderer Leute: reicher Männer, die für ihr Vermögen hohe Zinsen erwarteten, aber nicht unbedingt wollten, dass andere von ihrem Reichtum erfuhren. Einer von ihnen war der Fürstbischof von Brixen in Tirol. Die Fugger wickelten die Geschäfte mit dem geistlichen Herrn, der ja als Diener der Kirche eigentlich keine persönlichen Reichtümer hätte aufhäufen dürfen, so diskret ab, dass man bis heute nicht restlos aufklären konnte, woher der Bischof sein Geld hatte, was er mit ihm machte und was daraus nach seinem Tod wurde.

Auf der einen Seite hatten es die Fugger also mit Fürsten zu tun, die mehr Geld brauchten, als sie besaßen, auf der anderen mit Reichen, die ihren Reichtum geheim halten wollten. Und das Handelshaus mit seinen Verbindungen in ganz Europa hatte die Möglichkeit, beide Seiten Gewinn bringend zusammenzuführen. Solche Kunden, die ihren Reichtum verbergen wollten, wie der Brixener Bischof, waren dabei besonders nützlich, denn bei ihnen war nicht zu befürchten, dass sie ihr Geld plötzlich wieder abzogen. Der Bankier und Kaufmann konnte mit deren Einlage langfristige Geschäfte machen.

Jakob Fugger verliehen diese Geschäfte eine ungeheure Macht. Sie wurde noch dadurch erhöht, dass er selbst Maß zu halten verstand. Er widerstand den Verlockungen des Reichtums und bewahrte sich die Tugenden des sparsamen Kaufmanns, die seine Familie groß gemacht hatten. Diese Tugenden zeigten sich auch in der Art und Weise, wie die Firma Fugger organisiert war. Sie gehörte gemeinsam Jakob und seinen beiden älteren Brüdern Ulrich und Georg. Die drei schlossen 1494 einen Gesellschaftsvertrag, in dem sich jeder verpflichtete, für die Dauer von sechs Jahren seinen Anteil und den daraus erzielten Gewinn im Unternehmen zu lassen. So schufen sie die Voraussetzung dafür, dass die Firma immer weiter wuchs – heute würde man sagen: Sie sicherten ihre Eigenkapitalbasis.

Die Fugger waren nicht nur sparsam, sondern auch vorsichtig: Aus dem beginnenden Indien- und Amerikahandel hielten sie sich heraus und überließen das Risiko den Konkurrenten. Jakob Fugger finanzierte die Krönung Maximilians zum deutschen Kaiser und erhielt als Belohnung eine eigene Grafschaft. Als Maximilian gegen die Republik Venedig Krieg führte, wo die Fuggers ja Geschäfte machten, vermittelte er einen Frieden und verdiente daran noch einmal. Schließlich wurde er 1511 sogar in den Adelsstand erhoben. Nachdem Maximilian gestorben war, finanzierte er die Wahl von dessen Enkel, König Karl I. von Spanien, zum deutschen Kaiser. 852 000 Gulden brachte Jakob Fugger auf dem Reichstag 1519 in Frankfurt auf, um die Adligen des Reiches zu bestechen, damit sie Karl und nicht dessen Konkurrenten Franz I. von Frankreich wählten.

Seit Karl als Karl V. die Kaiserwürde erhielt, war das Schicksal der Fugger noch enger mit dem Haus Habsburg verwoben, zuerst im Guten, später im Bösen. Als Jakob 1525 starb, stand das Familienunternehmen auf dem Höhepunkt seiner Macht; aber unter seinem Neffen Anton setzte der Niedergang ein.

Schon Karl V. war ein miserabler Zahler gewesen; noch schlimmer kam es unter seinen Nachfolgern. Kaiser Ferdinand I. und König Philipp II. von Spanien vergalten den Fuggern ihre früheren Dienste nicht. Zwar hatten sie in Amerika ein Weltreich aufgebaut, zwar lieferten die Kolonien regelmäßig große Mengen an Gold und Silber ab, trotzdem war die Staatskasse immer leer – der Bedarf der Herrscher für Kriege, Luxus und höfische Prachtentfaltung war einfach größer. In den Jahren 1557 und 1575 erklärte die spanische Krone zweimal den Staatsbankrott: Spanien konnte weder die Zinsen auf seine Schulden bezahlen noch gar die Außenstände begleichen. Den Fuggern ging ein Vermögen verloren. Nach heutigen Berechnungen erlitten die Fugger bis zur Mitte des 17. Jahrhunderts aus Geschäften mit den Habsburgern Verluste in Höhe von 8 Millionen

Gulden, gegenüber der spanischen Krone von 4 Millionen Dukaten.

Anton Fugger und später sein Sohn Markus zogen daraus den richtigen Schluss, dass die Zeiten vorbei waren, in denen man mit Kaisern und Königen große Geschäfte machen konnte. Sie zogen ihr Kapital aus der Handelsfirma und legten es in krisensicherem Grundbesitz an. Als Grundherren im Raum Augsburg hatten die Fugger noch jahrhundertelang Einfluss, als Handelshaus spielten sie keine Rolle mehr.

Wie viele Neuerer waren die Fugger sehr widersprüchlich. Sie entwickelten den Kredit zu einem machtvollen Instrument und brachten Handel und Gewerbe voran – aber sie verbündeten sich dabei mit den Mächten der Vergangenheit, vor allem den Habsburgern. Die Reformation und die Religionsfreiheit lehnten sie ab, weshalb sie von den Reformatoren Martin Luther und Ulrich Zwingli bekämpft wurden. Sie beteiligten sich am Handel mit afrikanischen Sklaven und verdeckten dies in ihren Büchern, vermutlich weil sie ein schlechtes Gewissen hatten. Sie waren rücksichtslos auf den eigenen Profit bedacht – trotzdem stiftete Jakob Fugger eines der ersten Sozialwohnungsprojekte der Geschichte: die »Fuggerei« in Augsburg.

Die Börse

Messen, Aktien, Tulpen

Wenn Kaufleute Geschäfte machen wollen, müssen sie sich treffen. Dieser Satz wirkt heute komisch, in einer Zeit, in der man ein Postpaket über Nacht von Frankfurt nach New York schicken und an fast jeden Ort der Welt telefonieren, ein Fax oder eine E-Mail senden kann. Im Mittelalter und in der Renaissance war die Situation eine andere. Angesichts schlechter Straßen und fehlender Kommunikationsmittel mussten die Kaufleute regelmäßige Treffen an festen Orten vereinbaren, um miteinander handeln zu können. Was für Bauern und Handwerker die Wochenmärkte, das waren für Händler die *Messen*, die meist zu kirchlichen Festen an wichtigen Handelsorten stattfanden. Berühmte Messeplätze waren Leipzig, Frankfurt oder Nürnberg.

Eine besondere Bedeutung für die weitere Entwicklung der Wirtschaft bekam der Handelsplatz Brügge in Flandern. Dort betrieb bereits im 14. Jahrhundert eine Familie namens van de Beurse eine Art Gasthof für Kaufleute, die zur Messe fuhren. Der Familienname leitete sich aus deren Wappen her, in dem drei Lederbeutel (lateinisch: *bursa*) zu sehen waren. In dem Gasthaus traf man sich, man sammelte Informationen darüber, was es gerade an neuen Waren gab, welche Kaufleute vertrauenswürdig waren und welche nicht. Wenn man neue Geschäfte anbahnen wollte, ging man »zu den Beursen«. Der Begriff bürgerte sich so sehr ein, dass die Kaufleute auch in anderen Städten ihre regelmäßigen Treffen Börse nannten. In Antwerpen wurde 1531 das erste richtige Börsengebäude errichtet, das für Kaufleute aller Länder geöffnet war.

Entscheidend war, dass man die Waren, mit denen gehandelt wurde, nicht an die Börse mitbrachte, sondern nur Bescheinigungen über diese Waren. Der Sinn dieser Maßnahme ist klar: Transporte sind teuer und umständlich; viel besser ist es, das Geschäft auf dem Papier abzuwickeln und die Güter dann dorthin zu bringen, wo sie gebraucht werden. Besonders geeignet für Börsengeschäfte waren Dinge, bei denen es gar nicht viel zu transportieren gab, weil sie nicht materiell, sondern sozusagen ideell waren, bei denen also die Bescheinigung selbst die Ware war, die gekauft oder verkauft wurde: Wechsel zum Beispiel. In Venedig wurde schon im 14. Jahrhundert an der Rialtobrücke mit Wechselbriefen gehandelt, später kam der Handel mit Schuldscheinen der Republik Venedig dazu.

Handeln konnte man auch mit Beteiligungen an riskanten Schiffsfahrten. Manche Kaufleute wetteten einfach auf den Erfolg oder Misserfolg einer Reise über das Mittelmeer oder entlang der afrikanischen Küste; über die Wetten stellten sie Bescheinigungen aus, die sie weiterverkauften. Andere legten ihr Geld zusammen und rüsteten gemeinsam Schiffe aus, um die Risiken der Reisen über die Ozeane zu begrenzen. Und diese Risiken waren beträchtlich. Cornelius Houtman zum Beispiel, ein holländischer Kaufmann, der als Erster seiner Nation ins heutige Indonesien vorstieß, brachte von seiner Reise nur 89 der ursprünglich 249 Matrosen zurück. Und diese Reise galt als Erfolg! Kam ein Schiff mit reicher Ladung zurück, teilten sich die Partner den Gewinn, wenn es unterging oder zur Beute von Piraten wurde, wog der geteilte Verlust nicht so schwer.

Ein Kaufmann, der es mit der Angst bekam, während er auf die Rückkehr des gemeinsam finanzierten Schiffes wartete, konnte seine Anteile sogar vorzeitig verkaufen. Die

Beteiligung war dann weniger wert als ursprünglich, weil es ja der Öffentlichkeit nicht verborgen blieb, dass der Kaufmann Angst um sein Geld hatte. Aber der Verlust war begrenzt. Und der Käufer der Beteiligung wusste um das Risiko, aber falls das Schiff doch noch wohlbehalten zurückkehrte, war sein Gewinn umso größer.

Wer immer sich auf das Geschäft mit den Schiffsbeteiligungen einließ, musste versuchen, sich ein Bild von der Zukunft zu machen, um Risiko und voraussichtlichen Ertrag in Einklang zu bringen. »In die Zukunft blicken« heißt auf Lateinisch *speculari*, die Kaufleute waren also *Spekulanten*. Wichtig war bei alledem Vertrauen. Vertrauen darauf, dass die anderen Geschäftspartner ihre Verpflichtungen einhielten. Und Vertrauen darauf, dass sie, wenn sie es nicht taten, vom Staat bestraft wurden.

Im Jahre 1602 revolutionierten die Holländer das Geschäft mit den Schiffsbeteiligungen. Verschiedene Kaufleute gründeten eine Gesellschaft, die Schiffe ausrüstete. Nach der Rückkehr der Schiffe ging aber nicht jeder wie bisher üblich wieder seinen eigenen Geschäften nach, sie blieben zusammen und nannten das gemeinsame Unternehmen die *Ostindische Kompagnie*. Die Regierung sprach der Gesellschaft das alleinige Recht *(Monopol)* zu, für die Niederlande nach Indien zu fahren. Das Geld für die Gründung, insgesamt fast 6,5 Millionen holländische Gulden, brachten sechs niederländische Städte auf, über die Hälfte davon Amsterdam.

Die Anteile der Ostindischen Kompagnie wurden an der Börse von Amsterdam gehandelt – es waren *Aktien*. Auf Niederländisch bedeutet *actie* ganz einfach »Aktion«, was so viel bedeutet wie »Handlung«, aber auch »Anspruch«. Durch die Ausgabe von Aktien trug nicht der niederlän-

dische Staat das Risiko des Ostindienhandels, sondern
Kaufleute und Spekulanten. Umgekehrt konnten sich Leute
an den Gewinnen aus diesem Handel beteiligen, deren Geld
alleine nie für die Ausrüstung eines Schiffes gereicht hätte.
Wie seinerzeit die Bank der Fugger, brachte die Börse Kapi-
talnachfrage und Kapitalangebot zusammen, aber auf eine
sehr viel effektivere Weise, weil das Risiko unter allen
Beteiligten geteilt wurde. Die Börse und die Erfindung der
Aktien machten so neue Geschäfte möglich.

Die Preise für die Aktien, die *Kurse*, schwankten nach unseren heutigen Vorstellungen extrem. Im Jahre 1604, als die
ersten Schiffe der Gesellschaft über den Indischen Ozean
segelten, waren die Aktien schon um ein Drittel teurer als
bei der Ausgabe. Die Kurse konnten aber auch an einem Tag
dramatisch abstürzen, etwa wenn in Amsterdam das Ge-
rücht aufkam, ein Schiff könne untergegangen oder von
Piraten gekapert worden sein. Wer diese Kursschwankun-
gen auszunutzen verstand, wer also an schlechten Tagen
Aktien kaufte und an guten verkaufte, der konnte ein Vermögen machen. Auf ihrem Höchststand, etwa 100 Jahre
nach der Gründung der Kompagnie, hatten sich deren Aktien um 1000 Prozent verteuert.

Solche phantastischen Gewinne verleiteten die Niederländer dazu, auch mit anderen Dingen zu spekulieren. Die
skurrilste dieser Spekulationen bezog sich auf eine schein-
bar völlig unscheinbare Ware – Tulpenzwiebeln. Die Tulpe
stammt eigentlich aus dem Nahen Osten; ein holländischer
Naturforscher hatte sie 1554 in der Türkei entdeckt. Ihre
Blüte erinnert entfernt an einen Turban, daher steckt in
ihrem Namen auch das alttürkische Wort für Turban, *tül-
bant*. Tulpen waren für die Europäer zunächst eine sehr
exotische und teure Blume, nur reiche Familien konnten

sich im Frühling ein Tulpenbeet im Vorgarten leisten. Als aber immer mehr Kaufleute durch die Börse zu Wohlstand gekommen waren, hatte irgendwer die Idee, dass dies ja irgendwann auch die Nachfrage nach Tulpen beleben müsste und dass es sich daher lohnen könnte, Tulpenzwiebeln aufzukaufen. Das war im Jahr 1634, also 30 Jahre nach Gründung der Ostindischen Kompagnie. Der Preis für die Tulpen begann zu steigen. Und weil nun alle damit rechneten, dass er weiter steigen würde, kauften sie noch mehr Zwiebeln und der Preis stieg noch weiter.

Im Gegensatz zu Aktien sind Blumenzwiebeln sehr anschauliche Gegenstände, daher beteiligten sich nicht nur Adlige und Kaufleute, sondern auch Handwerker, Bauern, Knechte und Mägde an der Spekulation. In Wirtshäusern entstanden Tulpenbörsen, Rechtsanwälte und Schreiber kümmerten sich um die Abwicklung der Geschäfte, das ganze Volk träumte davon, schnell und mühelos reich zu werden. Auf dem Höhepunkt der Spekulation bekam man für eine Zwiebel der Sorte Vice-Roy 2500 Gulden, was nach einem zeitgenössischen Bericht zwei Wagenladungen Roggen, vier Mastochsen, vier Mastschweinen, zwölf Schafen, vier Fässern Bier, zwei Fässern Wein, 1000 Pfund Käse, einem Bett, einem Silberbecher und einem Anzug entsprach.

Der Irrsinn dauerte drei Jahre. Dann, im Jahr 1637, kam der Tag, an dem ein Spekulant plötzlich nicht mehr den Preis erlösen konnte, den er sich erhofft hatte. Er geriet in Panik und verkaufte alles, was er hatte, zum günstigsten Preis, den er noch bekommen konnte. Nun erinnerten sich die Leute plötzlich daran, dass man mit einer Tulpenzwiebel eigentlich nichts anderes machen konnte, als sie in den Garten zu pflanzen. Panik griff um sich, alle wollten verkaufen und niemand mehr kaufen, die Preise stürzten in den Keller. Schlimm waren besonders jene Holländer dran, die Schulden aufgenommen hatten, um ihre Tulpenzwiebeln zu kaufen, weil sie geglaubt hatten, den Kredit mit einem Bruchteil ihres Spekulationsgewinnes zurückzahlen zu können. Sie waren bankrott und verloren ihr gesamtes Vermögen.

Alle großen Spekulationen der Geschichte hatten seither einen ähnlichen Verlauf: Am Anfang ein paar gute Ideen, dann die Euphorie, dann der Irrsinn, in dem jeder meint, er müsse noch unbedingt bei dem großen Geschäft mitmachen, schließlich die Panik und das Platzen der Spekulationsblase. Selbst die Spekulation am Neuen Markt in Deutschland während der Jahre 1999 und 2000 erinnerte, wenn auch in bescheidenerem Umfang, an die heiße Zeit der Tulpenzwiebeln.

Der Staat

Ludwig XIV. und sein Finanzminister

Die mächtigen Kaufleute des Hauses Fugger mussten schmerzhaft lernen, dass Staaten für ihre Geldgeber gefährliche Geschäftspartner waren: Könige und Kaiser neigten dazu, mehr auszugeben, als sie hatten; wer ihnen etwas auslieh, der *Gläubiger*, zog dann den Kürzeren. Zwischen Wirtschaft und Staat entstand so schon früh ein Spannungsverhältnis: Beide brauchten sich gegenseitig und beide misstrauten sich. Eine Lösung fand man in den demokratisch regierten Niederlanden: Der Staat hielt sich aus den Geschäften der Ostindischen Kompagnie heraus und tat nichts anderes, als deren Expansion mit seinen Soldaten abzusichern. Diese Zurückhaltung des Staates lag durchaus in der niederländischen Tradition begründet. Die Nation hatte sich die Freiheit erkämpft in einem Aufstand gegen politische, religiöse, aber auch finanzielle Unterdrückung durch die Könige von Spanien. Seither achteten die Niederländer darauf, dem Staat keinen zu großen Einfluss auf Wirtschaft und Gesellschaft einzuräumen. Geistesfreiheit und kaufmännische Freiheit gingen Hand in Hand.

Einen ganz anderen Weg wählte das Königreich Frankreich. Dort handelte man nach dem Motto: Wenn der Staat zu wenig Geld hat, dann muss er sich eben zusätzliches beschaffen. In Frankreich begann in der Mitte des 17. Jahrhunderts, wie in anderen Ländern Europas auch, das Zeitalter des *Absolutismus*. Die Herrscher waren überzeugt, dass sie ihre Macht »von Gottes Gnaden« hatten. Zwischen 1618 und 1648 führten die europäischen Könige, Herzöge und Fürsten den Dreißigjährigen Krieg, angeblich ging es um die richtige Religion, tatsächlich jedoch um die Vorherrschaft in Deutschland. Der Krieg endete mit der Verwüstung weiter Landstriche und der Dezimierung der Bevölkerung. Die Macht des deutschen Kaisers war geschwächt, dafür stiegen die Regionalfürsten auf, in erster Linie der Kurfürst von Brandenburg, der sich zum »König in Preußen« krönen ließ. Der Inbegriff des Absolutismus und Vorbild für viele andere Herrscher seiner Epoche war König *Ludwig XIV.* von Frankreich (1643 – 1715). Sein prunkvolles Schloss in Versailles wurde an vielen Residenzen in Europa imitiert. Ludwigs Leitspruch lautete: *»L'état, c'est moi«* – der Staat bin ich. Wahrscheinlich hat der König dieses Motto gar nicht selbst formuliert; kein Zweifel jedoch besteht daran, dass er konsequent danach gehandelt hat: Er betrachtete den Staat und sich selbst als eines. Und deshalb sah er es als wesentliche Aufgabe des Staatsapparates an, den Reichtum des Königs zu mehren.

Um den ganzen Prunk bezahlen zu können, reichten weder die Abgaben der Bauern aus noch die Kredite von Banken und anderen Geldgebern. Der König brauchte Steuern. Aber die Abgaben waren schon so hoch, dass den Bauern kaum das Nötigste zum Überleben blieb. Es kam immer wieder zu Bauernaufständen gegen die drückende Steuerlast. Daher überlegten sich Beamte, wie die Untertanen des Königs in die Lage versetzt werden konnten, kräftig Steuern zu zahlen, ohne dass es zu Rebellionen und Hungerrevolten kam. Ein möglicher Weg war es, die wirtschaftliche Entwicklung des Landes zu fördern. Die Beamten Ludwigs erfanden das Instrument der staatlichen Wirtschaftspolitik, die Regierung hatte sich nun nicht mehr nur um den Krieg und um Ruhe und Ordnung zu kümmern, sondern auch um die Wirtschaftskraft der Untertanen. Der Grund für diesen

Gesinnungswandel war nicht Fürsorge, sondern herrscherliche Verschwendungssucht, für Frankreich bedeutete er trotzdem einen Fortschritt.

Ludwig XIV. konnte sich bei seiner Politik auf kluge Männer stützen, die planmäßig die Bereicherung des Staates betrieben. Deren Denkrichtung nennt man heute »Merkantilismus«. Der berühmteste Merkantilist und wirkungsvollste Wirtschaftspolitiker war *Jean-Baptiste Colbert* (1619–1683), Ludwigs Finanzminister. Colbert betrachtete den Staat als eine große Firma, deren Einkünfte er so weit wie möglich zu erhöhen suchte. Seine Klugheit lag darin, zu erkennen, dass es dem Staat nur dann gut ging, wenn die Bürger ihrem Gewerbe nachgehen konnten, das heißt, wenn die Steuern nicht zu drückend wurden. Deshalb unternahm er viel, was letztlich dem Wohlstand der französischen Bürger nützte.

Colbert sorgte dafür, dass Waren innerhalb des Königreichs billiger transportiert werden konnten: Er begann, Brücken- und Wegezölle zu beseitigen, und erbaute einen großen Kanal in Südfrankreich, den Canal du Midi, der das Mittelmeer mit dem Atlantik verbindet und noch heute befahren wird, allerdings hauptsächlich von Touristen. Colbert förderte die Errichtung von Großbetrieben, so genannten *Manufakturen.* Darin arbeiteten oft Hunderte von Handwerkern unter einer zentralen Leitung, sie teilten sich die Arbeit und konnten daher viel mehr und besser produzieren als die herkömmlichen Einzelhandwerker in ihren Werkstätten. Colbert erließ strenge Vorschriften für die Qualität von Waren, zum Beispiel von Tuchen. Wer sie nicht einhielt, musste Strafen zahlen. Eines der vielen Verdienste des Finanzministers war es, dass Frankreich über Jahrzehnte hinaus zum führenden Produzenten von Luxuswaren in Europa wurde: Teppiche, Möbel, Seide, kostbare

Kleidung, alles kam aus französischen Manufakturen. Allerdings reglementierte er die französische Wirtschaft bald zu stark, so dass sie auf neue Entwicklungen zu spät reagierte und bis ins 20. Jahrhundert zu sehr von den Entscheidungen des Staats abhängig blieb.

Nach französischem Vorbild wurden Manufakturen auch in anderen Ländern errichtet. Ein berühmtes Beispiel ist die Porzellanmanufaktur Meißen, die auf Befehl des Königs von Sachsen gegründet wurde.

Colbert war klar, dass der König umso mehr Steuern einnehmen konnte, je mehr Untertanen er hatte, deshalb förderte er auch das Bevölkerungswachstum: Ein Familienvater, der mehr als zehn eigene Kinder hatte, wurde von der Steuer befreit, vorausgesetzt, keines seiner Kinder wurde Mönch oder Nonne.

Ein folgenschweres Erbe Colberts waren die Gedanken, die er zum *Außenhandel* des Staates hatte. Jeder Staat hat im Verhältnis zum Ausland, wie eine Firma, Einnahmen und Ausgaben. Die Einnahmen erzielt er, indem seine Bürger Waren ins Ausland verkaufen, was man *Ausfuhr* oder Export nennt; Geld ausgeben muss er für die *Einfuhr* von Gütern, die so genannten *Importe*. Einnahmen und Ausgaben werden in einer *Handelsbilanz* zusammengestellt, die der Bilanz in einer normalen Firma entspricht.

Colberts Ziel war es nun, in der Handelsbilanz einen möglichst großen Überschuss zu erwirtschaften, also möglichst viel zu verkaufen und möglichst wenig zu kaufen. Der Überschuss war in Colberts Vorstellung der Gewinn des Staates. Durch hohe Gewinne, so dachte er, sammelt sich im Staat immer mehr Gold und Silber an, der König wird immer reicher. Um sein Ziel zu erreichen, förderte Colbert nicht nur die Produktion von Waren, die sich gut exportie-

ren ließen, er behinderte auch die Importe, und zwar durch hohe *Zölle*. Das sind Aufschläge, die ausländische Waren im Inland künstlich verteuern. Zum Beispiel führte ein Zoll von 100 Prozent auf holländisches Tuch dazu, dass sich der Preis eines Ballens in Frankreich von 10 *Livres* (französisch für »Pfund«, die damalige Währung des Landes) auf 20 Livres verteuerte. Damit war holländisches Tuch gegenüber französischer Ware viel zu teuer, und kein Franzose kaufte es mehr, was exakt dem Ziel des Ministers entsprach.

Diese Politik scheint auf den ersten Blick aus der Sicht Frankreichs sehr vernünftig zu sein. Es ist schön, immer mehr Gold und Silber anhäufen zu können. Aber was geschähe, wenn alle Staaten sich so verhielten? Die Niederlande würden ihrerseits auf französisches Tuch einen Zoll von 100 Prozent erheben, dann wäre die Ausgangssituation wieder die gleiche – nur dass in beiden Ländern die ausländischen Waren so teuer wären, dass sie niemand mehr bezahlen könnte. Der Handel käme zum Erliegen. Und tatsächlich ließen sich die Handelspartner Frankreichs die merkantilistische Politik nicht gefallen. Nachdem Colbert 1667 die Zölle auf Einfuhren aus Holland verdreifacht hatte, verboten die Niederlande ihrerseits die Einfuhr französischer Waren. Daraufhin griffen französische Truppen die Niederlande an. Es kam zu einem offenen Krieg. Die Niederländer konnten sich vor den Truppen des Königs schützen, indem sie die Deiche öffneten und den Durchzugsweg der Franzosen versperrten. Frankreich musste zu seinen alten Zöllen zurückkehren.

Die merkantilistische Politik war aber auch noch aus einem anderen Grund kurzsichtig: Was sollte Frankreich mit dem ganzen Gold und Silber machen, das das Land im Außenhandel eingenommen hatte? Hätten die Franzosen es untereinander ausgegeben, dann hätten sie nichts davon gehabt: Es wäre zwar mehr Geld im Umlauf gewesen, nicht jedoch mehr Waren, die man damit hätte kaufen können. Das Ergebnis wären steigende Preise gewesen, also Teuerung oder *Inflation*. So ähnlich wie in Spanien nach der Entdeckung Amerikas. Ein Land, das Gold und Silber hortet, verhält sich wie ein Mann, der auf einer einsamen Insel lebt, dort Gold findet und dieses sammelt. Solange er alleine ist, ist das Gold völlig wertlos, erst wenn er in Kontakt mit anderen gerät und das Gold ausgibt, bekommt es seinen Wert.

Gold-, Silber- und andere Reserven haben für Staaten nur dann einen Nutzen, wenn sie bereit sind, den größeren Teil davon auch auszugeben. Trotzdem leben die Gedanken Colberts bis heute weiter. Das merkantilistische Denken entspricht dem Gefühl vieler Menschen: Einnahmen (Exporte) sind gut, Ausgaben (Importe) schlecht, deshalb neigen Politiker immer wieder dazu, in schwierigen Zeiten die eigene Wirtschaft »schützen« zu wollen. Im Rahmen dieses Protektionismus (lateinisch: *protectio* = Beschützung) werden die Geschäfte von Ausländern behindert, meist mit sehr ausgeklügelten Methoden. Auch viele Gegner der Globalisierung argumentieren bei ihren Alternativvorschlägen merkantilistisch.

Heute versteht man unter einer Handelsbilanz die Ein- und Ausfuhr von Waren, also Dingen, die man anfassen kann. In der *Dienstleistungsbilanz* werden dagegen andere wirtschaftliche Leistungen zusammengefasst. Zum Beispiel gehen die Ausgaben deutscher Touristen im Ausland als Einfuhr in die deutsche Dienstleistungsbilanz ein. Das ist zunächst überraschend, aber leicht zu erklären: Deutschland führt gewissermaßen die Dienstleistung »Erholung« ein, schließlich fahren die Deutschen gestresst in den Urlaub und kommen, wenn alles gut geht, erholt zurück. Handels- und Dienstleistungsbilanz fasst man in der *Leistungsbilanz* zusammen. Wenn vom »Handelsüberschuss« eines Landes die Rede ist, dann ist in Wirklichkeit meistens ein Überschuss in der Leistungsbilanz gemeint. Die Bundesrepublik Deutschland erwirtschaftete in ihrer Leistungsbilanz im Jahr 2004 einen Überschuss von rund 77,9 Milliarden Euro.

Der Kreislauf

Der Leibarzt der Madame Pompadour

Die ganze merkantilistische Politik Frankreichs konnte nicht verhindern, dass den französischen Königen immer wieder das Geld ausging und die Steuern das Land zu lähmen drohten. Der Geldbedarf war einfach zu groß. Der Hof von Versailles war im 17. und 18. Jahrhundert berühmt und berüchtigt für seinen Prunk. Man liebte die Verschwendung und den Genuss; auf vielen Gemälden des Rokoko ist das zu sehen, zum Beispiel auf denen von *Jean-Antoine Watteau*.

Die französischen Könige waren verheiratet, aber sie hatten auch offizielle Nebenfrauen, so genannte Mätressen. *Ludwig XV.* der Urenkel Ludwigs XIV., hatte zwei berühmte Mätressen: Madame Dubarry und die *Marquise de Pompadour* (1721 – 1764). Letztere galt als außergewöhnlich intelligent und ehrgeizig. Der König hörte auf sie in allen wichtigen Fragen der Politik und der Kultur. Die Mätresse hatte einen eigenen Leibarzt. Der kam aus einfachen Verhältnissen; er war das achte von dreizehn Kindern eines Bauern. Lesen lernte er bei einem Gärtner, später bildete er sich selbst weiter. Sein Name war *François Quesnay* (1694 – 1774). Neben der Medizin hatte Quesnay noch andere Interessen. Er war hochgebildet und wurde zum ersten europäischen Denker, den man mit Fug und Recht als Wirtschaftswissenschaftler, als *Ökonomen*, bezeichnen kann.

Am Hofe von Versailles lernte Quesnay eine neue und faszinierende Art und Weise kennen, die Welt zu betrachten, die *Aufklärung*. Es war eine Bewegung, die damals ganz Westeuropa erfasste. Die Aufklärer wollten die Menschen lehren, ihren Verstand zu gebrauchen und nur noch das zu glauben, was sie sahen und was man beweisen konnte.»*Aufklärung ist der Ausgang des Menschen aus seiner selbstverschuldeten Unmündigkeit*«, schrieb der deutsche Philosoph *Immanuel Kant*. Die wichtigsten französischen Aufklärer waren der Philosoph und Mathematiker *René Descartes* und der Schriftsteller *Voltaire*.

Man blickte aber nicht nur auf Traditionen und Gebräuche mit neuen Augen, sondern auch auf die Natur. Im Jahre 1687 veröffentlichte der britische Mathematiker *Isaac Newton* seine »*Naturphilosophie*«, worin er die von ihm entwickelten wichtigsten Gesetze der Schwerkraft und der Mechanik zusammenfasste. Mittels dieser Gesetze konnte man zum Beispiel die Flugbahn einer Kanonenkugel vorausberechnen oder die Sternenbahnen erklären. Mechanische Maschinen ließen sich entwickeln, die Natur verlor ihre Geheimnisse, sie erschien den Aufklärern wie eine Maschine, derer man sich auf vernünftige Weise bedienen konnte. Die Aufklärer stellten die Lehrsätze der Kirche ebenso in Frage wie die Politik der Könige. Immer mehr Menschen ließen sich nicht mehr vorschreiben, was sie zu denken hatten, und gebrauchten ihren Kopf selber.

Handel und Gewerbe hatten der Aufklärung das Feld bereitet: Wer als Kaufmann die Belange seiner Firma ordnet und plant, der beugt sich nicht gerne überlieferten Glaubenssätzen, von denen er nicht überzeugt ist. Umgekehrt regten die Aufklärer das systematische Nachdenken über die Wirtschaft an. Schon die Merkantilisten hatten gezeigt, dass in einem Staat die wirtschaftlichen Handlungen aller Menschen – Bauern, Handwerker, Kaufleute, Steuereinnehmer – zusammenhingen. Beeinflusst von den Aufklärern, versuchte François Quesnay nun zu zeigen, dass die Beziehungen zwischen den verschiedenen Gruppen in der

Wirtschaft so geregelt und gesetzmäßig abliefen wie der Lauf der Planeten, ein Uhrwerk oder der Kreislauf des menschlichen Blutes. Er formulierte ein *Gesetz* über wirtschaftliche Zusammenhänge. Sein Gesetz nannte er *Tableau économique*. Quesnay stellte sich die Wirtschaft als einen Kreislauf vor: So wie das Blut vom Herzen in den Körper fließt und wieder zurück, so fließt in einer Wirtschaft der Strom der Waren und des Geldes hin und her. Wie in der Natur ist alles genau geregelt, und es kommt darauf an, diesen Kreislauf nicht zu stören.

Quesnay untersuchte dabei den Kreislauf zwischen den Klassen von Menschen in der Wirtschaft, die er zu seiner Zeit vorfand. Erstens die Grundbesitzer – König, Kirche und Adel; zweitens die Handwerker und Manufakturarbeiter und drittens die Bauern, genauer: die Pächter, die das Land der Grundbesitzer bearbeiteten. Der Kreislauf der Wirtschaft verläuft nach Quesnay so: Die Bauern produzieren während eines Jahres die Nahrungsmittel für die ganze Gesellschaft. Für sich selbst behalten sie, was sie zum Überleben brauchen, von den Handwerkern erhalten sie deren Produkte, den Überschuss liefern sie an die Grundbesitzer ab, die verzehren die Lebensmittel oder verwenden sie, um sie gegen Manufakturwaren zu tauschen.

Quesnays Leistung bestand unter anderem in der Erkenntnis, dass die Wirtschaft einen Überschuss erzeugen kann. Dass also Produkte mehr wert sind als das, was man hineingesteckt hat. Dieses *Nettoprodukt* stammte nach Meinung Quesnays ausschließlich von den Bauern, weshalb er sie »produktive Klasse« nannte. Die Handwerker produzierten zwar nützliche Dinge, sie lebten aber letztlich vom Nettoprodukt der Bauern. Sie nannte er daher »sterile Klasse«. Diese verwunderliche Aufteilung zwischen produk-

tiver und steriler Klasse kann man sich nur erklären, wenn man bedenkt, dass Quesnay am königlichen Hofe lebte, seine Leser waren Großgrundbesitzer. Sie lebten ausschließlich von dem, was die Bauern ihnen ablieferten. Quesnays Nettoprodukt war nichts anderes als das Einkommen der Großgrundbesitzer, insofern blieb Quesnay bei seiner Analyse in den Vorurteilen seiner Zeit gefangen. Er war selbst Großgrundbesitzer geworden und verfügte über ein Vermögen von 118 000 Livres.

Trotzdem machte der Ökonom weitsichtige Vorschläge für die Wirtschaftspolitik des Königs: Er verlangte eine einheitliche und maßvolle Steuer für die Bauern, damit deren Produktivkraft nicht zerstört wurde. Außerdem forderte er – anders als die Merkantilisten – den freien Handel mit Getreide. Er hoffte, dass die Getreidepreise dann stiegen, das Mehrprodukt der Bauern zunehmen würde und die Grundbesitzer höhere Erträge hätten. Im 20. Jahrhundert hat der amerikanische Ökonom *Wassily Leontief*

(1906 – 1999) nach dem Vorbild von Quesnay ein Ablaufschema für die moderne Wirtschaft aufgestellt und bekam dafür den Nobelpreis. Das Bild des Kreislaufs wurde später weiterentwickelt zur *Volkswirtschaftlichen Gesamtrechnung*. Mit ihr wird heute zum Beispiel ermittelt, wie schnell die Wirtschaft wächst. Außerdem kann man damit ausrechnen, wie viel die gesamte Wirtschaftsleistung der Bürger eines Staates wert ist, das *Bruttosozialprodukt* oder das *Bruttoinlandsprodukt*.

Im Königreich Frankreich konnten alle klugen Vorschläge nicht verhindern, dass die Abgabenlasten für die Untertanen immer drückender wurden. Der aus der Prasserei und den vielen Kriegen resultierende Geldmangel des Königs war 1789 ein wesentlicher Grund für den Ausbruch der Französischen Revolution, die die Königsherrschaft in Frankreich beendete und das Gesicht Europas grundlegend verändern sollte.

Die unsichtbare Hand

Adam Smith

Nicht nur in Frankreich, auch in anderen Ländern er-
forschten nun Gelehrte die Gesetze, nach denen Wirtschaft
und Gesellschaft funktionierten, und zwar auf ganz unterschiedliche Weise. Während die französischen Aufklärer
nach einer Art Gesamtplan für die Wirtschaft suchten, der
den Gesetzen der Vernunft gehorchte, entwickelte sich in
Schottland eine eigene Schule der Aufklärung. Die Schotten
dachten allerdings über die Möglichkeiten der menschlichen Vernunft viel skeptischer als ihre Kollegen auf dem
Kontinent. Sie wollten keinen Plan, sondern suchten nach
einfachen Regeln, denen die Menschen mehr oder weniger
unbewusst folgen konnten. Die wichtigsten Vertreter dieser schottischen Aufklärung waren der Philosoph *David
Hume* und der Moralphilosoph und Ökonom *Adam Smith*
(1723 – 1790). Smith veröffentlichte zwei Hauptwerke: Die
»Theorie der ethischen Gefühle« und die *»Untersuchung
über Nutzen und Ursachen des Wohlstands der Nationen«.*
Das Erscheinen des letzteren Werkes im Jahre 1776 gilt als
der eigentliche Beginn der modernen Wirtschaftswissenschaft.

Smith war ein hochgebildeter, aber einsamer Mann. Sein
Vater starb früh; er selbst heiratete nie. Sein Leben in Edinburgh bei seiner Mutter wird als beschaulich, wenn nicht
gar langweilig geschildert. Es war jedenfalls kein Vergleich
zu dem Prunk, den François Quesnay am Hof von Versailles erlebte. Adam Smith vertrat die Ansicht, dass es aus-
drücklich *keines* staatlichen Planes für die Wirtschaft bedurfte, sondern er glaubte, die Wirtschaft sei bereits dann

wohl geordnet, wenn jedermann sein Eigeninteresse verfolgen konnte, ohne darin vom Staat gehindert zu werden.

Das Lob des Eigeninteresses stand bereits bei Aristoteles: Jeder strengt sich mehr an, wenn er den Lohn seiner Anstrengungen auch selbst ernten kann. Adam Smith entwickelte diesen Gedanken weiter und entwarf eine Theorie für die gesamte Wirtschaft. Auch für die Allgemeinheit ist es seiner Meinung nach am besten, wenn jeder nach seinen eigenen Interessen handelt. Denn der Wettbewerb auf dem Markt sorgt dafür, dass die egoistischen Anstrengungen Einzelner auch den anderen zugutekommen. Das Volkseinkommen, so argumentierte Smith, ist der gesamte Jahresertrag aller Betriebe des Landes. Wenn nun jeder danach trachtet, seinen eigenen Gewinn zu mehren, dann erhöht er damit ganz zwangsläufig das Volkseinkommen und das Allgemeinwohl: »*Er wird in diesem wie auch in vielen anderen Fällen von einer unsichtbaren Hand geleitet, um einen Zweck zu fördern, den zu erfüllen er in keiner Weise beabsichtigt hat. Auch für das Land selbst ist es keineswegs immer das Schlechteste, dass der Einzelne ein solches Ziel nicht bewusst anstrebt, ja gerade dadurch, dass er das eigene Interesse verfolgt, fördert er häufig das der Gesellschaft nachhaltiger, als wenn er wirklich beabsichtigt, es zu tun.*«

In seiner Schrift vom »*Wohlstand der Nationen*« legt Smith seinen Gedanken so dar: Der Mensch ist immer auf die Unterstützung anderer angewiesen, alleine könnte er gar nicht überleben. Er darf aber in der Regel nicht darauf rechnen, dass er diese Hilfe bekommt, wenn er ausschließlich auf das Wohlwollen seiner Mitmenschen spekuliert. »*Er wird sein Ziel wahrscheinlich viel eher erreichen, wenn er deren Eigenliebe zu seinen Gunsten zu nutzen versteht, indem er ihnen zeigt, dass es in ihrem eigenen Interesse liegt, das für ihn zu tun, was er von ihnen wünscht. Jeder, der einem anderen irgendeinen Tausch anbietet, schlägt vor: Gib mir, was ich wünsche, und du bekommst, was du benötigst [...] Nicht vom Wohlwollen des Metzgers, Brauers und Bäckers erwarten wir unser Nachtmahl, sondern von deren Bedacht auf ihre eigenen Interessen. Wir wenden uns nicht an ihre Menschen-, sondern an ihre Eigenliebe, und wir erwähnen nicht die eigenen Bedürfnisse, sondern sprechen von ihrem Vorteil.*« Auf das Wohlwollen der Mitmenschen bauen nur die Bettler, schrieb Smith.

Adam Smith ging davon aus, dass die Menschen ihr Eigeninteresse verfolgen, aber er stellte sich keine rücksichtslosen Egoisten vor. Jeder Mensch, so schrieb er in der »*Theorie der ethischen Gefühle*«, strebt nach »Sympathie« – er möchte seinen Mitmenschen gefallen. Deshalb sitzt in der Seele ein »unparteiischer Beobachter«, der sein Verhalten aus der Sicht der Mitmenschen kritisch überprüft.

Wenn die Wirtschaft sozusagen von Natur aus vom Eigeninteresse der Menschen bestimmt wird, dann hat das gravierende Folgen für die Wirtschaftspolitik der Regierungen. Nach den Prinzipien von Adam Smith soll sich der Staat weitgehend aus der Wirtschaft heraushalten. Schließlich wissen die einzelnen Bürger am besten, was ihr Eigeninteresse ist, und nicht der König oder seine Beamten.

Im Besonderen verfocht Adam Smith das Prinzip des *Freihandels*, also der freien Ein- und Ausfuhr von Waren. Zölle lehnte er ab, und er vertrat die Meinung, ausländisches Getreide solle ohne Zölle oder andere Erschwernisse nach England geliefert werden können. Nachdrücklich wandte sich Smith gegen die Politik der Merkantilisten, die Einfuhr von Fertigwaren nach England mit Zöllen zu erschweren und die Einfuhr von Rohmaterialien zu fördern. Durch

diese Politik würden die Produkte für die englischen Verbraucher nur unnötig teuer. Auf die Verbraucher jedoch kommt es an, schrieb Smith. »*Der Verbrauch allein ist Ziel und Zweck einer jeden Produktion, daher sollte man die Interessen der Produzenten eigentlich nur so weit beachten, wie es erforderlich sein mag, um das Wohl der Konsumenten zu fördern [...] Augenscheinlich wird aber das Interesse der einheimischen Konsumenten dem der Produzenten geopfert, wenn die Einfuhr aller ausländischen Erzeugnisse eingeschränkt wird, die in Konkurrenz zu den eigenen treten können. Nur zum Nutzen der Produzenten wird dadurch der Verbraucher gezwungen, den überhöhten Preis zu zahlen, der durchweg auf dieses Monopol zurückzuführen ist.*«

Smiths Argumente für den Freihandel verfeinerte noch David Ricardo, der zweite der großen klassischen *National-ökonomen*.

Ricardo (1772 – 1823) stammte aus einer holländischen jüdischen Familie, die nach England ausgewandert war. Sein Vater war Makler an der Amsterdamer Börse gewesen. Auch Ricardo selbst spekulierte mit großem Erfolg. In seinem wissenschaftlichen Werk zeigte er, dass zwei Nationen ihren Wohlstand steigern können, wenn sie sich, ganz im Sinne der Arbeitsteilung, auf das konzentrieren, was sie am besten können, oder, in seinen Worten: wo ihre »komparativen Kostenvorteile« liegen. Mit seinen Argumenten schaffte es Ricardo gegen den erbitterten Widerstand der Großgrundbesitzer, dass England den Handel mit Getreide freigab.

Diese Lehre, wonach der Staat die Wirtschaft möglichst in Ruhe lassen soll, nennt man Wirtschaftsliberalismus; als ihr Leitsatz wird häufig ein Wort genannt, das bereits François Quesnay verwendete: *»Laisser-faire, laisser-passer!«*, was etwa heißt: Lasst sie tun, lasst sie durchziehen. Jeder soll in der Wirtschaft tun und lassen können, was er will, solange er nicht die Rechte anderer verletzt. Welche Warenqualität am besten ist, entscheidet nicht ein Beamter, sondern der Wettbewerb um die Kunden: Die beste Ware wird am besten verkauft. Nicht der Staat soll entscheiden, sondern der Markt. Die Theorie des Liberalismus nennt man deshalb auch *Laissez-faire-Prinzip*. Während des 19. Jahrhunderts richteten sich die Politiker in den wichtigsten Staaten Europas an ihr aus. Die Theorien von Adam Smith und David Ricardo liegen heute der Politik der Handelsliberalisierung zu Grunde.

Die Fabrik

James Watt und die Dampfmaschine

Colbert, der französische Finanzminister, hatte im Auftrag von König Ludwig XIV. in Frankreich das System der Manufakturen gefördert. Hundert Handwerker und mehr fertigten unter einem Dach Teppiche, Seidenstoffe, Tapeten oder Porzellan. In einem herkömmlichen Handwerksbetrieb machte zum Beispiel ein Schneider zusammen mit seinen Gesellen und Lehrlingen alles vom Anfang bis zum Ende. Jeder musste dabei unzählige Arbeitsschritte verrichten: Maß nehmen, den Stoff zuschneiden, die einzelnen Stücke zusammennähen, das Futter einsetzen. Das Prinzip der Manufaktur bestand nun darin, die Arbeitsschritte zwischen den Handwerkern so aufzuteilen, dass jeder sich auf einen winzigen Teilschritt konzentrieren konnte. So nutzte man konsequent das Prinzip der Arbeitsteilung.

Adam Smith hat dies in seiner Schrift vom »*Wohlstand der Nationen*« anhand der Produktion von Stecknadeln erläutert. Ein ungelernter Arbeiter werde, selbst wenn er sehr fleißig ist, täglich höchstens eine Stecknadel herstellen können. In einer Manufaktur mit nur zehn Arbeitern, die Smith besucht hatte, wurden dagegen in derselben Zeit 48 000 Stecknadeln produziert, pro Arbeiter also 4800. Dank der Manufakturen wurde nicht nur aus der Stecknadelproduktion ein eigenes Gewerbe, die Arbeit wurde auch aufgegliedert: Ein Arbeiter zog den Draht, der andere streckte ihn, ein dritter schnitt ihn, ein vierter spitzte ihn zu, ein fünfter schliff das obere Ende, damit der Kopf aufgesetzt werden konnte; auch die Herstellung des Kopfes erforderte zwei oder drei verschiedene Arbeitsgänge. Diese Trennung und

Spezialisierung erhöhte die Leistung pro Arbeiter auf spektakuläre Weise; heute würde man sagen: Die Produktivität der Arbeiter vervielfachte sich, im Beispiel von Adam Smith um das 4800fache.

In dem Wort »Manufaktur« stecken die beiden lateinischen Wörter *manus* und *facere*. Es bedeutet: Handarbeit. In den Manufakturen waren die Arbeiter also auf ihre eigene Muskelkraft angewiesen. Bald jedoch wurde die Manufakturarbeit noch einmal revolutioniert, nämlich durch die Einführung von Maschinen. Aus den Manufakturen wurden Fabriken.

Eigentlich sind Menschen schwache Wesen, jedenfalls im Vergleich zu Tieren. Ein Mensch ist schwächer als ein Bär, langsamer als ein Reh, er kann schlechter klettern als eine Katze. Allein sein Verstand erlaubt es ihm, seine natürliche Schwäche zu überwinden. Die Menschen ließen die Kräfte der Natur für ihre Zwecke arbeiten und im 18. Jahrhundert war die Technik hier schon sehr weit entwickelt: Ochsen zogen den Pflug des Bauern, auf dem Rücken eines Pferdes ließen sich lange Strecken überwinden, Wind und Wasser trieben Mühlen und Sägewerke, die Schwerkraft der Erde hielt Uhren in Gang. Aber die Kraft, die die Menschen dadurch gewannen, war begrenzt, so wie es die Körperkraft von Pferden und Ochsen oder die Leistungsfähigkeit eines Mühlbaches ist. Außerdem war der Einsatz von Reit- und Zugtieren durch den Nahrungsbedarf eingeschränkt: Auf dem Feld, auf dem der Hafer für die Pferde wächst, kann man nicht gleichzeitig Weizen oder Roggen anbauen, um damit Brot zu backen. Ein Bauer musste daher schon wohlhabend sein, damit er sich ein Pferd leisten konnte. Zugtiere waren, wie man heute sagen würde, Maschinen, die ihre Energie aus nachwachsenden Rohstoffen bezogen.

Und weil die Fläche, auf der diese Rohstoffe wachsen konnten, begrenzt war, waren auch dem Einsatz dieser lebendigen »Maschinen« enge Grenzen gesetzt.

Im Jahre 1765 jedoch erfand der Engländer *James Watt* eine Maschine, die mit einer ganz anderen Energiequelle angetrieben wurde: mit Kohle. Es war die *Dampfmaschine:* Ein Kohlenfeuer erhitzte Wasser und wandelte es in Dampf um, der Dampf bewegte einen Kolben und der trieb über eine bewegliche Pleuelstange ein Rad an. Mit diesem Rad konnte man Pumpen antreiben, die Bergwerkschächte trockenlegten und so den Abbau von Steinkohle in großen Tiefen erlaubten. Man konnte die Räder einer Lokomotive damit in Gang setzen oder irgendeine andere Maschine. Dampfmaschinen hatte es zwar schon früher gegeben, aber erst das Niederdruckprinzip, das James Watt angeblich während eines Sonntagsspazierganges in den Kopf gekommen war, erlaubte den *wirtschaftlichen* Einsatz der Maschine.

Den Brennstoff für die Dampfmaschine, Steinkohle, kannte man schon lange und verwendete ihn zum Heizen. In Nordwesteuropa gibt es ein riesiges Steinkohlefeld. Es besteht aus den Überresten urzeitlicher Wälder, die unter dem Druck der darübergeschobenen Gesteinsschichten selber zu Gestein geworden sind. Das Feld zieht sich wie ein großer unterirdischer Bogen vom südlichen Ruhrgebiet in Deutschland unter der Nordsee bis nach Mittelengland. An beiden Enden traten die Kohlenflöze an die Oberfläche und konnten dort abgebaut werden. Als diese Vorkommen erschöpft waren, holte man die Kohle aus Bergwerken tief in der Erde.

Mit der Erfindung der Dampfmaschine begann in England das *Industriezeitalter.* Jetzt entstanden die ersten großen Fabriken. Dort trieben Dampfmaschinen die Produktionsmaschinen an, zum Beispiel in der Baumwollindustrie. Um 1810 begannen Fabrikanten in der englischen Grafschaft Lancashire mechanische Webstühle einzusetzen. Bei diesen Webstühlen ersetzte die Dampfkraft die Muskelkraft der Arbeiter. Dadurch wurde einerseits die Arbeit Hunderter Weber überflüssig, die Fabriken führten andererseits zum Aufbau einer riesigen Textilindustrie; Liverpool und Manchester wurden regelrechte Fabrikstädte. Die Bevölkerung der Grafschaft Lancashire verzehnfachte sich binnen achtzig Jahren. Eine neue Klasse von Arbeitskräften entstand. Es waren nicht mehr Handwerker oder Tagelöhner wie vor der industriellen Revolution, sondern *Arbeiter*, die nichts anderes zu verkaufen hatten als ihre Arbeitskraft. Sie stellten in den Industriegebieten schnell die Mehrheit der Bevölkerung. Die Veränderungen hinterließen bei allen Menschen einen unauslöschlichen Eindruck: die rauchen den Schornsteine der Fabriken, die Arbeitermassen, das rasante Wachstum der Städte. Den Zeitgenossen war klar, dass eine neue Epoche begonnen hatte. Der deutsche Fabrikantensohn und Sozialist *Friedrich Engels* (1820 – 1895) glaubte nach einem England-Besuch, die englische Industrie habe den Arbeiter *»vollends zu einer bloßen Maschine«* gemacht. Die neuen Fabriken mit ihren teuren Maschinen lohnten sich für die Fabrikanten, eil sie Produkte billiger anbieten und deshalb viel mehr davon verkaufen konnten als Handwerker. Aber zunächst einmal mussten sie die Maschinen kaufen und bezahlen, noch ehe sie ein Pfund damit verdient hatten. Sie brauchten also viel Geld, *Kapital,* um überhaupt mit der Produktion beginnen zu können. Das Industriezeitalter hatte immensen Bedarf an großen Mengen frei verfügbaren Geldes, es schuf auch immer neue Kapitalmassen. Nicht nur immer neue Fabriken wurden gebaut, auch Bergwerke, um die Kohle für die neuen Maschinen zu fördern, Wohnungen für die Arbeiter, Straßen, um die Waren zu transportieren, und schließlich Eisenbahnen. Die erste mit Dampfkraft angetriebene Güterbahn wurde 1825 zwischen den mittelenglischen Städten Stockton und Darlington eröffnet. Die erste Eisenbahn zur Personenbeförderung verband seit 1830 Liverpool und Manchester. Weil im Industriezeitalter so viel Kapital bewegt wurde, gab man der neuen Zeit auch den Namen *Kapitalismus.*

Heute gibt es die englische Textilindustrie längst nicht mehr. Aber in unserer Sprache haben sich noch Überbleibsel aus dieser Zeit erhalten: Einen breit gerippten Stoff nennt man »Manchester«. Und Politiker oder Unternehmer, die alle staatlichen Einschränkungen für die Wirtschaft ablehnten, »Manchester-Kapitalisten«. Die industrielle Revolution hat das Gesicht der Erde radikal verändert, sie brachte unermesslichen Reichtum, aber auch soziale und Umweltprobleme, die bis heute nicht gelöst sind.

Banken

Der Aufstieg der Familie Rothschild

Die jungen Industriestädte lockten ehrgeizige junge Leute von überall her an: aus ganz England, aus Irland und aus rückständigen Gegenden des europäischen Kontinents. Unter diesen Glückssuchern war auch ein junger Mann aus Frankfurt namens *Nathan Rothschild.* Er traf im Jahre 1800 in Manchester ein, ohne ein Wort Englisch zu können. Binnen kurzem sollte er zu einem der reichsten und einflussreichsten Männer Englands werden. Die Geschichte dieses Erfolges beginnt allerdings schon 57 Jahre zuvor in Frankfurt, in der Judengasse.

Juden mussten damals in Frankfurt, wie in vielen anderen Städten Europas auch, sehr bedrängt in besonderen Vierteln (»Ghettos«) leben. Sie durften ihre Gasse nachts und an christlichen Feiertagen nicht verlassen, sie durften auch nicht heiraten, wann sie wollten, und hatten der Stadt ein »Schutzgeld« zu zahlen. Nathans Vorfahren arbeiteten als Geldwechsler und Trödler; sie lebten in einem Haus, an dem zur Kennzeichnung ein rotes Schild hing. Das Haus hieß entsprechend »Zum roten Schilde«, und es bürgerte sich im Frankfurter Judenviertel ein, die Bewohner »die Rothschilds« zu nennen. Die Bezeichnung blieb auch dann bestehen, als einer der »Rothschilds« mit Namen Naftali Herz umzog, und zwar in ein Haus, das »Zur Hinterpfann« hieß. Nathans Vater, Mayer Amschel Rothschild, schließlich zog dann noch einmal um, und zwar in ein Haus »Zum grünen Schild«. Die Familie Rothschild hätte also genauso gut »Hinterpfann« oder »Grünschild« heißen können; tatsächlich war es wohl Mayer Amschel, der »Rothschild« als

Nachnamen im modernen Sinne verwendete. Eigentlich hätte Mayer Amschel Rabbiner werden sollen. Er besuchte eine Talmudschule in Fürth, aber als sein Vater starb, nahm der junge Mann eine Anstellung beim jüdischen Bankhaus Oppenheimer in Hannover an. Dort lernte er das Bankgeschäft; außerdem kam er in feinere Kreise und machte dabei die Bekanntschaft eines hessischen Generals. Der wiederum führte ihn am Hof des Prinzen Wilhelm von Hessen ein. Den Prinzen beeindruckte Rothschild damit, dass er gut Schach spielen konnte und eine Menge von Münzen verstand. Er trat in die Dienste des Prinzen ein und erhielt den Titel eines »Fürstlich Hessen-Hanauischen Hoffaktors«.

Der Prinz, der seit 1785 als Landgraf von Hessen regierte, hatte ein Problem, das außer ihm nicht viele Fürsten dieser Zeit kannten: Er besaß zu viel Geld. Das hatte er auf eine wenig feine Art verdient: Er verlieh junge Männer aus seinem Land zum Kriegsdienst in andere Länder. Dieser Handel – der wenig mit moderner Leiharbeit, aber viel mit Sklavenhandel zu tun hatte – brachte ihm ein Vermögen ein, außerdem gute Kontakte in viele Länder Europas. Das Vermögen verlieh er zum Teil gegen Zinsen an Fürsten, die weniger wohlhabend waren. Zu seinen Kunden gehörte auch der König von England. Der war wegen vieler Kriege in ständiger Geldnot. Deshalb gab er *Anleihen* aus, also Urkunden des Staates, die man für einen festen Betrag, zum Beispiel 100 Pfund, erwerben konnte. Für die zahlte der Staat Jahr für Jahr Zinsen, die Gesamtsumme wurde nach einer bestimmten Zeit, etwa zehn Jahren, zurückgezahlt. Einen erheblichen Teil seines Geldes legte der Landgraf in englischen Staatsanleihen an; und mit der Verwaltung dieses Vermögens betraute er Mayer Amschel Rothschild.

Bald zeigte sich, dass der Prinz eine gute Wahl getroffen

hatte. In Frankreich siegte 1789 die Revolution, die Macht des Königs wurde zunächst beschnitten, dann setzten ihn die Revolutionäre ab und köpften ihn. Die anderen Fürsten Europas wollten diesem Schicksal verständlicherweise entgehen. Sie zogen gemeinsam gegen das revolutionäre Frankreich in den Krieg, um die alte Ordnung wiederherzustellen. Auch der Landgraf von Hessen schloss sich den gegenrevolutionären Mächten Preußen und Österreich an und schickte 1792 ein Heer von 12 000 Mann in den Krieg gegen die Revolution. Doch Wilhelm verrechnete sich, ebenso wie all die anderen Herrscher des alten Europa: Gegen die Volksheere der französischen Republik konnten ihre Truppen aus abhängigen und schlecht bezahlten Soldaten nichts ausrichten. Die französische Armee besetzte Frankfurt und ganz Hessen; und deren Oberbefehlshaber Napoleon setzte Wilhelm mit einem kurzen Schreiben ab. Der Landgraf war seine Herrschaft los und floh nach Prag ins Exil; sein Vermögen jedoch lag sicher im Keller der Rothschilds in der Frankfurter Judengasse, wo kein französischer Soldat das Gold vermutete. So wird es jedenfalls überliefert; es gibt sogar ein Gemälde, auf dem man sieht, wie die fünf Söhne Mayer Amschels nach dem Ende der französischen Besatzung dem Kurfürsten seinen Schatz zurückgeben. Nur – die Geschichte stimmt trotzdem nicht. Natürlich versteckte Rothschild kein Gold in irgendeinem Keller; als kluger Bankier legte er es in britischen Staatsanleihen an, die sein Sohn Nathan in London verwaltete. Die Geschichte mit dem Goldschatz ist eine Legende, an der die Rothschilds selbst mitgestrickt haben, vermutlich um den eigenen Ruhm zu steigern. In der Zwischenzeit hatte sich das Haus Rothschild deutlich vergrößert. Neben Sohn Nathan, dem Engländer, gab es James, der sich in Paris niedergelassen hatte, Karl in Neapel und Salomon in Wien. Als Mayer Amschel im Jahr 1812 in Frankfurt starb, war das Familienunternehmen zu einer global tätigen Bank geworden. Nathans größter Coup stand aber erst noch bevor. Obwohl erst vor kurzem nach England gekommen, war der junge Bankier längst regelmäßiger Besucher der *Royal Exchange*, der Londoner Börse. An seinem eigenen Stammplatz dort konnte er bald seine Spekulationskunst unter Beweis stellen. Kaiser Napoleon hatte zwischenzeitlich ganz Kontinentaleuropa besetzt, war bis nach Moskau vorgestoßen, hatte dort eine katastrophale Niederlage erlitten und war schließlich von den verbündeten Armeen Europas besiegt und auf die Insel Elba im Mittelmeer verbannt worden. Doch der gestürzte Kaiser fand sich mit seinem Schicksal nicht ab, er sammelte Soldaten um sich und kehrte 1815 im Triumphzug nach Paris zurück. Die Alliierten rüsteten nochmals ein Heer gegen Napoleon, und das finanzierten die Rothschilds. Am 18. Juni 1815 kam es bei der belgischen Ortschaft Waterloo zur entscheidenden Schlacht zwischen Napoleon und seinen Gegnern. Deren Ausgang war keineswegs sicher. Lange sah es aus, als könnte Napoleon den englischen General Wellington besiegen. Fast im letzten Moment rettete der General Blücher mit seinen preußischen Truppen das antifranzösische Lager. Napoleon war endgültig besiegt, und die Lage, vor allem die Finanzlage des englischen Königs, besserte sich auf einen Schlag. Wer das rechtzeitig wusste, konnte mit seinem Wissen eine Menge Geld verdienen. Wenn nämlich klar war, dass der König zahlungsfähig blieb, würden die Kurse englischer Staatsanleihen schlagartig steigen. Bis dahin waren sie gedrückt, weil die Spekulanten das Risiko eines Staatsbankrotts einkalkulierten.

Nun gab es 1815 weder Telefon, Telefax noch Fernschreiben. Wie also schnell an Nachrichten kommen? Nathan gab Kapitänen, die den Ärmelkanal mit ihren Schiffen überquerten, viel Geld, damit sie ihn möglichst schnell mit Nachrichten vom Kriegsschauplatz versorgten. Schließlich war es, so wurde es überliefert, ein Herr Rothworth in den Diensten Rothschilds, der eine druckfrische Ausgabe der holländischen Zeitung »*Gazette*« mit einem Bericht aus Waterloo kaufte und diese von Oostende nach London brachte, wo er sie Rothschild in die Hände legte – am Morgen nach der Schlacht und viele Stunden ehe die Kuriere des englischen Generals der Regierung die Siegesmeldung überbrachten.

Rothschild gab seine Information als Erstes an die Regierung weiter – schließlich war er ein gesetzestreuer Bürger. Dann ging er an seinen Stammplatz an der Royal Exchange und begann, Staatsanleihen zu *verkaufen*. Alle anderen Spekulanten zogen daraus den Schluss: Wenn Rothschild verkauft, dann haben die Alliierten sicher die Schlacht verloren. Sie verkauften, was sie nur verkaufen konnten. Was sie nicht wussten: Viele der Leute, die ihnen ihre Papiere zu immer schneller sinkenden Preisen abnahmen, waren Agenten Rothschilds. Am nächsten Tag wussten alle vom Sieg und Rothschild verkaufte die am Vortag billig erworbenen Anleihen mit riesigen Gewinnen. Nathan Rothschild ging damit in die Geschichte ein als einer der erfolgreichsten Spekulanten aller Zeiten.

Wie vieles bei der Familie Rothschild ist auch die Geschichte von Nathans großer Spekulation von Legenden und Mythen umwoben, und man weiß nicht, ob jedes Detail genau so stimmt, wie es überliefert wurde. Fest steht, dass die Rothschilds das Geschäft mit den Staatsanleihen

revolutionierten und im 19. Jahrhundert die mit Abstand mächtigste Bank in Europa waren. Ihre Erfolgsgeheimnisse waren absolute Loyalität in der Familie, Loyalität ihren Kunden – meist europäische Regierungen – gegenüber und ein eigenes, sehr effizientes Kuriersystem, mittels dessen sie oft schneller über politische Ereignisse informiert waren als die Regierungen selbst. Wahrscheinlich haben die Rothschilds im Jahre 1830 dank ihrer Kontakte sogar einen europäischen Krieg verhindert. Der Dichter Heinrich Heine schrieb einmal, er sehe »*in Rothschild einen der größten Revolutionäre, welche die moderne Demokratie begründeten*«. Die Bankiers hätten die »*Oberherrschaft des Bodens*« gebrochen, indem sie »*das Staatspapiersystem zur höchsten Macht*« emporhoben. In moderner Sprache würde man sagen: Die Rothschilds schufen einen modernen Kapitalmarkt und unterhöhlten so, sicher ungewollt, die alten, auf dem Grundbesitz fußenden Vorrechte des europäischen Adels.

Arbeiter

Oliver Twist und Karl Marx

Unter all den Menschen, die um 1800 in die Industriestädte zogen, war Nathan Rothschild eine krasse Ausnahme. Die meisten Menschen waren arm und ungebildet, als sie kamen; sie blieben es und ihre Kinder auch. Sie waren *Arbeiter*. Nicht nur Männer und Frauen schufteten in Baumwollspinnereien, Webereien und Bergwerken, auch Kinder von zwölf Jahren an. Die Arbeitszeit dauerte zwölf, oft fünfzehn Stunden. Im Jahre 1833 wurde in England ein Fabrikgesetz erlassen. Darin hieß es, *»der gewöhnliche Fabrikarbeitstag solle beginnen um halb 6 Uhr morgens und enden halb 9 Uhr abends, und innerhalb dieser Schranken, einer Periode von 15 Stunden, solle es gesetzlich sein, junge Personen (zwischen 13 und 18 Jahren) zu irgendeiner Zeit des Tages anzuwenden, immer vorausgesetzt, dass ein und dieselbe Person nicht mehr als 12 Stunden innerhalb eines Tages arbeitet, mit Ausnahme gewisser speziell vorgesehener Fälle«.*

Auch übers Jahr gesehen mussten die Arbeiter viel länger als Bauern und Handwerker früherer Zeiten arbeiten: Viele kirchliche Feiertage, von denen es in einigen Gegenden Europas über hundert gab (in Paris um 1660 zum Beispiel nicht weniger als 103), wurden nach und nach abgeschafft. Und der Lohn war so niedrig, dass er kaum zum Überleben, auf jeden Fall nicht für eine menschenwürdige Existenz, ausreichte. Rund um die Fabrikstädte – zuerst in England, später auch in Deutschland, Belgien und Frankreich – entstanden Elendsviertel, in denen die Arbeiter und ihre Familien in Bretterhütten und Verschlägen hausten. Später bauten

Fabrikherren und Regierungen einfache Mietwohnungen, so genannte Mietskasernen.

Warum ließen sich die Menschen überhaupt auf so unwürdige Bedingungen ein? Die Antwort ist einfach: Sie hatten keine andere Wahl. In Europa gab es damals Hunderttausende »überflüssiger« Menschen, die auf dem Land und in den Städten ihren Lebensunterhalt nicht mehr fristen konnten: verarmte Bauern, überschuldete Handwerker, Bettler, herumreisendes Volk. In England brachte die Modernisierung der Landwirtschaft große Teile der Landbevölkerung um ihren Lebensunterhalt: Die Großgrundbesitzer stiegen auf Schafzucht um, weil sich damit wegen der Nachfrage der Textilindustrie mehr verdienen ließ als mit Ackerbau und Milchwirtschaft; dadurch wurden viele Landarbeiter und Landpächter arbeitslos. In Deutschland und Frankreich ruinierten die vielen Kriege zahlreiche Bauern. Manchmal wurden Menschen auch regelrecht zur Fabrikarbeit gezwungen: Bettler etwa oder Bauern, die noch wie im Mittelalter von ihren Grundherren abhängig waren. Die ersten Weber im damals preußischen Schlesien waren zu Beginn des 19. Jahrhunderts Leibeigene, denen die Grundherren Webstühle in die Stuben stellten. Die ersten Arbeiter in den Fabriken waren schlecht ausgebildet, und als ehemalige Landbewohner waren sie die eiserne Disziplin nicht gewohnt, die die Arbeit mit Maschinen erforderte. Das legten ihnen die Fabrikherren als »Faulheit« und »Arbeitsverweigerung« aus und versuchten mit harten Strafen für Disziplin zu sorgen.

Die neuen mechanischen Webstühle führten nun dazu, dass die Weber auf dem Land keine Arbeit mehr fanden, sie konnten mit den billigen Tuchen, die aus den neuen Fabriken kamen, nicht konkurrieren. Menschenmassen strömten in die neuen Fabrikstädte und vegetierten dahin – auf eine auch für die damalige Zeit empörende Weise. Der Deutsche Friedrich Engels schrieb 1845 ein erschütterndes Buch über »*Die Lage der arbeitenden Klasse in England*«. Darin schildert er zum Beispiel, was ihm ein Prediger in Edinburgh, der Hauptstadt von Schottland, erzählte:

»*Er habe solches Elend wie in seiner Pfarre nirgend zuvor gesehen. Die Leute seien ohne Möbel, ohne alles; häufig wohnten zwei Ehepaare in einem Zimmer. An einem Tage sei er in sieben Häusern gewesen, in denen kein Bett – in einigen sogar kein Stroh gewesen sei; achtzigjährige Leute hätten auf dem bretternen Boden geschlafen, fast alle brächten die Nacht in ihren Kleidern zu. In einem Kellerraum habe er zwei schottische Familien vom Lande gefunden; bald nach ihrer Ankunft in der Stadt seien zwei Kinder gestorben, das dritte sei zur Zeit seines Besuchs im Sterben gewesen – für jede Familie habe ein schmutziger Strohhaufen in einem Winkel gelegen, und obendrein habe der Keller, der so dunkel gewesen sei, dass man bei Tage keinen Menschen darin habe erkennen können, noch einen Esel beherbergt.*«

Die Straßen in den schottischen Städten, so berichtet Engels weiter, »*sind oft so eng, dass man aus dem Fenster des einen Hauses in das des gegenüberstehenden steigen kann, und dabei sind die Häuser so hoch Stock auf Stock getürmt, dass das Licht kaum in den Hof oder die Gasse, die dazwischen liegt, hineinzudringen vermag. In diesem Teile der Stadt sind weder Kloaken noch sonstige zu den Häusern gehörende Abzüge oder Abtritte; und daher wird aller Unrat, Abfall und Exkremente von wenigstens 50 000 Personen jede Nacht in die Rinnsteine geworfen, so dass trotz alles Straßenkehrens eine Masse ausgetrockneten Kots und ein stinkender Dunst entsteht und dadurch nicht nur Auge und*

Geruch beleidigt, sondern auch die Gesundheit der Bewohner aufs Höchste gefährdet wird.«

Die Arbeiter in den Fabriken bekamen Hungerlöhne und mussten oft bis zu fünfzehn Stunden lang arbeiten. Der Ökonom *Thomas Malthus* (1766 – 1834) formulierte damals ein »ehernes Lohngesetz«, wonach die Arbeiter nur das zum Überleben notwendige Existenzminimum verdienen können. Verdienen sie nämlich mehr, dann arbeiten sie sofort weniger (das war die Ansicht einfach denkender Fabrikherren), oder sie vermehren sich so lange, bis die Konkurrenz unter der steigenden Zahl von Arbeitern den Lohn wieder auf das Existenzminimum drückt. Diese Theorie hat sich insofern als falsch erwiesen, als der Ertrag der Arbeit in den Fabriken schneller wuchs als die Zahl der Arbeiter. Aber am Elend der Arbeiter änderte sich jahrzehntelang nur wenig.

Dieses Elend wühlte viele gebildete Menschen auf. Der Schriftsteller *Charles Dickens* veröffentlichte 1838 seinen Roman *»Oliver Twist«* über das Schicksal eines Waisenjungen im England des frühen Industriezeitalters. Der deutsche Dichter *Heinrich Heine* (1797 – 1856) schrieb ein Gedicht über das Schicksal der Weber in Schlesien. Hier einige Verse daraus:

Im düstern Auge keine Träne,
Sie sitzen am Webstuhl und fletschen die Zähne:
»Deutschland, wir weben dein Leichentuch,
Wir weben hinein den dreifachen Fluch –
Wir weben, wir weben!

…

Ein Fluch dem König, dem König der Reichen,
Den unser Elend nicht konnte erweichen,
Der den letzten Groschen von uns erpresst
Und uns wie Hunde erschießen lässt –
Wir weben, wir weben!«
...

Die Arbeiter suchten nach Mitteln, um ihre schlimme Lage zu verbessern. Schon 1802 gab es einen *Streik* in den Londoner Werften, bei dem die Arbeiter geschlossen ihre Arbeit niederlegten, um höhere Löhne zu erzwingen. Der Streik hatte keinen Erfolg. Dann entstand die Bewegung der »Maschinenstürmer«: Verzweifelte Arbeiter zerstörten die mechanischen Webstühle, weil sie glaubten, die seien an ihrem Elend schuld. Die Bewegung wurde zu einer ernsthaften Bedrohung für England, deshalb wurde auf Maschinenstürmerei 1813 die Todesstrafe verhängt. 1818 entstand der erste Arbeiterbildungsverein in London. Dessen Gründer hofften, dass die Lage der Arbeiter sich verbessern würde, wenn sie besser ausgebildet wären. 1842 gab es einen Fabrikarbeiteraufstand in Lancashire, der dazu führte, dass die Fabrikanten eine Lohnsenkung zurücknehmen mussten.

Aus all diesen Auseinandersetzungen entstand im Laufe der Zeit eine *Arbeiterbewegung*, die mit Erfolg dafür sorgte, dass die schlimmsten Missstände in den Industriegebieten beseitigt wurden: Die Arbeitszeit für Frauen und Jugendliche wurde auf 10 Stunden begrenzt, die Armen besser geschützt. Außerdem schaffte das Parlament die Korngesetze ab, die bisher die Einfuhr von Getreide nach England verhindert und damit Brot für die Arbeiter verteuert hatten. Im Jahre 1849 gründeten Bergarbeiter in England einen Verein zur Wahrnehmung der gemeinsamen Interessen, eine *Gewerkschaft*.

Andere wollten das Problem grundsätzlicher lösen: Sie nannten sich *Sozialisten* oder *Kommunisten*. Im Gegensatz zu Adam Smith und anderen liberalen Ökonomen glaubten sie nicht mehr, dass das Gemeinwohl am besten dadurch gewahrt würde, dass alle Mitglieder der Gesellschaft ihre eigenen Interessen verfolgen. Im Gegenteil: Ihrer Meinung nach kam das Elend gerade durch das private Eigeninteresse in die Welt. Das Privateigentum an den Fabriken und Bergwerken führe dazu, so die Sozialisten, dass sich deren Besitzer auf Kosten der Arbeiter bereicherten. Diese Ausbeutung sei die Quelle des Reichtums der einen und der Armut der anderen. Deshalb solle das Privateigentum an den Produktionsmitteln abgeschafft werden; Grund und Boden und die Fabriken müssten allen gehören. Dann würde es keine Reichen und keine Armen mehr geben.

Unter den Sozialisten ragte ein Denker besonders heraus. Es war ein junger Rechtsanwalt aus Trier, der sich mit Friedrich Engels befreundet hatte. Sein Name: *Karl Marx*. Er lebte von 1818 bis 1883 und hat mit seinen Ideen die Welt verändert wie wenige vor ihm. Viele Einflüsse gab es, die das Denken von Marx prägten. Zum Beispiel der Bericht von Friedrich Engels über das Elend der Arbeiter in England. Außerdem hatte er die Philosophie des Deutschen *Friedrich Hegel* studiert und die klassischen Nationalökonomen. Aus alldem schloss Marx, dass es Gesetze der Geschichte waren, die die kapitalistische Wirtschaft hervorgebracht hatten, und dass diese Gesetze sie auch wieder verschwinden lassen und zu einer sozialistischen oder kommunistischen Gesellschaft führen würden.

Friedrich Engels und Karl Marx schlossen sich einer Vereinigung sozialistisch denkender Männer an, dem *Bund der Kommunisten*. Im Jahre 1848, als in Frankreich und

Deutschland demokratische
Revolutionen ausbra-
chen, veröffentlich-
ten sie ihr »*Kommu-
nistisches Manifest*«.
 Nach ihrer Über-
zeugung wurde die
Geschichte durch den Kampf
von wirtschaftlich unterschiedlich
gestellten Bevölkerungsgruppen, so
genannten »*Klassen*«, vorangetrieben:
Sklaven gegen Sklavenhalter, Adlige
gegen Bürger, Patrizier gegen Handwerker und nun Bürger gegen Arbeiter.
Die durch das Privateigentum gesteu-
erte Wirtschaft war nichts anderes als
die Klassenherrschaft des Bürgertums,
der Bourgeoisie, wie Marx diese Schicht
nannte. Und die würde irgendwann
von der Klassenherrschaft der Arbeiter abgelöst werden, dem *Proleta-
riat*. In einer Revolution würden die
Arbeiter die »Diktatur des Proletariats« errichten, das Privateigentum an
den Fabriken abschaffen und eine
sozialistische Gesellschaft aufbauen.
Diese Revolution würde dann die
ganze Welt umfassen, deshalb formu-
lierten Karl Marx und Friedrich Engels die Parole: »*Prole-
tarier aller Länder, vereinigt euch!*«
 Wie diese zukünftige Gesellschaft aussehen sollte, darüber
äußerte sich Marx nur sehr ungenau. Das war auch konse-

quent, weil Marx glaubte, dass der Sozialismus eine naturnotwendige Folge der Geschichte sein würde, man ihn also nicht planen musste oder konnte.

Tatsächlich ist die Geschichte ganz anders verlaufen, als Karl Marx das erwartet hatte. Revolutionäre, die mit Hilfe seiner Ideen eine neue Wirtschaft aufbauen wollten, sind auf katastrophale Weise gescheitert. Andere Sozialisten haben sich weit von Marx entfernt und wurden zu *Sozialdemokraten;* diese wollten die kapitalistische Wirtschaft und Gesellschaft zwar auch verändern, aber nicht umstürzen.

Unternehmer

Pioniere und Aktiengesellschaften

Im Jahre 1882 spielte sich in einem kleinen Theater in Berlin eine merkwürdige Szene ab. Die Bühne war nicht mehr, wie es die Zuschauer gewohnt waren, mit Kerzen beleuchtet, sondern mit neuartigen gläsernen Kugeln, deren Inneres durch elektrischen Strom zum Leuchten gebracht wurde: Glühbirnen. Wer die Gelegenheit hatte, hinter die Bühne zu treten, der konnte einen Herrn in schwarzer Weste und durchgeschwitztem weißem Hemd sehen, der mit Hilfe von Eiswürfeln versuchte, die Maschine zu kühlen, die die Elektrizität für die Theaterbeleuchtung lieferte. Der Mann hieß *Emil Rathenau.* Er wurde 1838 in Berlin als Sohn eines jüdischen Kaufmanns geboren und war später einer der einflussreichsten Unternehmer Deutschlands. Rathenau hatte die Idee, die Erfindungen des genialen Amerikaners *Thomas Alva Edison* mit einer eigenen Firma in Europa zu vermarkten. Edison hatte gezeigt, wie man die (schon ältere) Erfindung des Telefons wirtschaftlich nutzen konnte, vor allem aber erfand er die elektrische Glühbirne.

Rathenau war schon früher einmal mit einer eigenen Firma gescheitert; er ahnte, dass man die neuesten Erfindungen des Industriezeitalters nicht als einzelner Unternehmer nutzen konnte, man brauchte Geld und Partner. Um die für die Nutzung der Elektrizität notwendigen Kapitalmengen aufzubringen, gründete er deshalb 1883 eine Aktiengesellschaft mit fünf Millionen Mark Grundkapital, die »Deutsche Edison Gesellschaft für angewandte Elektricität«. Die Gesellschaft erhielt – gegen erhebliche Gebühren – das alleinige Recht, die Erfindungen Edisons zu nutzen.

Dabei ging Rathenau mit System und Geschicklichkeit vor. Er installierte auf eigene Rechnung Pilotprojekte, bei denen er dem Publikum den Nutzen der Elektrizität demonstrierte. So beleuchtete er Theaterbühnen und einzelne Straßenzüge. Rathenau schloss Verträge mit seinem Hauptkonkurrenten, dem Elektrounternehmer Werner von Siemens, er holte führende deutsche Bankiers in den Aufsichtsrat seiner Aktiengesellschaft, was deren Finanzierung erheblich erleichterte.

Bereits im ersten Geschäftsjahr 1883 konnte die Gesellschaft das Opernhaus und das Residenztheater in München, das Hoftheater in Stuttgart und etliche Fabriken und Restaurants beleuchten; die Aktionäre erhielten am Ende 4 Prozent Dividende auf ihr Kapital. Später entwickelte Rathenaus Gesellschaft Ideen, wie man die Erzeugung von Strom in Kraftwerken am besten organisieren und wie man die Nachfrage nach Strom durch neue Gebrauchsgegenstände erhöhen konnte. Zu den ersten Elektrogeräten gehörten Wasserkocher, Brennscherenwärmer und Bügeleisen. Im Jahre 1887 löste Emil Rathenau seine Beziehungen zu Edison und wandelte sein Unternehmen in die *Allgemeine Elektricitätsgesellschaft* (*AEG*) um.

Auch Jakob Fugger oder Nathan Rothschild, ja selbst all die kleinen Handwerker des Mittelalters waren Unternehmer gewesen: Sie besaßen ihr Geschäft selbst und arbeiteten auf eigene Rechnung. Aber sie alle konnten die Welt nicht so sichtbar und so nachhaltig verändern wie ein Fabrikherr, der eine neue Maschine einführte, die Tausende von Arbeitern um ihre Beschäftigung brachte, oder ein neues Produkt anbot, das seinen Konkurrenten das Geschäft ruinierte. Die Unternehmer des Industriezeitalters prägten ganze Epochen, sie nutzten viele der spektakulären Erfindungen des

19. Jahrhunderts und machten daraus erfolgreiche Produkte. Viele ihrer Namen sind uns noch heute geläufig.

Der Deutsche Friedrich Krupp baute 1811 in Essen sein Hüttenwerk, um ein neu entwickeltes Gussstahlverfahren zu nutzen. In Jena gründete Carl Zeiss ein Unternehmen, in dem er Erfindungen zur Verbesserung von Mikroskopen wirtschaftlich nutzte. Die Ingenieure Carl Benz und Gottlieb Daimler hatten selbst Erfindungen zur Entwicklung moderner Motoren gemacht; sie gründeten eigene Unternehmen, die sich 1926 zur Daimler-Benz AG zusammenschlossen. Der deutsche Schneider Levi Strauss wanderte während des Goldrauschs 1873 nach Kalifornien aus, erfand dort die Jeans und gründete 1890 sein Unternehmen, das die Bekleidungsgewohnheiten junger Menschen auf der ganzen Welt veränderte. Der Amerikaner Henry Ford machte die Massenfertigung von Autos möglich: Er stellte die Autos hintereinander auf ein Fließband, so dass jeder Arbeiter daran nur ein paar Handgriffe machen musste. Dadurch wurden Autos so billig, dass sie sich auch weniger Reiche leisten konnten. Dabei waren die frühen Unternehmer oft äußerst rücksichtslos. John D. Rockefeller brachte um die Wende zum 20. Jahrhundert fast den gesamten Erdölhandel Amerikas unter seine Kontrolle – mit erlaubten und auch mit unerlaubten Mitteln, so lange, bis die Regierung in Washington sein Unternehmen Standard Oil 1911 zerschlug.

Der österreichische Ökonom *Joseph Schumpeter* (1883 – 1950) bezeichnete die Tätigkeit der Unternehmer als »schöpferische Zerstörung«. Unternehmer im Industriezeitalter schaffen immer etwas Neues und vernichten auf diese Weise Überkommenes. Wer das Auto zum Massenprodukt macht, der nimmt all jenen Handwerkern die Existenzgrundlage, die zuvor Pferdekutschen bauten. Die englischen Textilunternehmer mit ihren mechanischen Webstühlen schufen massenhaft Stoffe in neuer, guter Qualität zu erträglichen Preisen; daher kaufte niemand mehr bei den Handwebern. Wenn die Unternehmer sich aber auf ihren Verdiensten ausruhen und aufhören, ihre Produkte oder ihre Produktionsmethoden zu erneuern, wenn sie also nicht mehr Pioniere sind, dann sorgt der Wettbewerb dafür, dass ihre Firma vom Markt verschwindet oder von einem anderen Unternehmen übernommen wird. Vielen bedeutenden Unternehmen ging es so, zum Beispiel Emil Rathenaus AEG. Sie wurde in den 80er Jahren des 20. Jahrhunderts von der Daimler-Benz AG übernommen und dann nach und nach aufgelöst. Auf diese Weise treibt der Wettbewerb den technischen Fortschritt und der technische Fortschritt den Wettbewerb an.

Auch die Unternehmer veränderten sich im Laufe der Zeit. Viele der ersten Pioniere waren oft mehr oder weniger brutale Einzelgänger, je größer aber der Umfang und damit die Risiken des Geschäftes wurden, desto weniger kam man mit Einzelgängertum durch. Um das nötige Kapital für eine völlig neue Produktion zu beschaffen, genügte es nicht mehr, nur ein paar Partner in die Firma aufzunehmen. Man fand von einer bestimmten Größe des Vorhabens an auch keinen Bankier mehr, der bereit war, das Geld für die geplanten Rieseninvestitionen vorzustrecken. Dies zeigte sich besonders, als die industrielle Revolution mit ein paar Jahrzehnten Verspätung nach Deutschland kam. Mitte des 19. Jahrhunderts beherrschten die Engländer die Weltmärkte. Wer jetzt mithalten wollte, musste sofort ganz groß einsteigen und brauchte große Mengen an Kapital.

Deshalb begann nun die große Zeit der *Aktiengesellschaf*

ten. Diese Form des Unternehmens, die die Holländer im 17. Jahrhundert erfunden hatten, machte es möglich, viel Kapital einzusammeln, und erlaubte es gleichzeitig vielen Wohlhabenden, sich am Wachstum der Industrie mit begrenztem Risiko zu beteiligen. Ein klassisches Beispiel dafür war die AEG. Der Teilhaber einer Aktiengesellschaft trägt das Geschäftsrisiko des Unternehmens mit, aber nur sehr begrenzt; hat sich dessen Chef verkalkuliert, dann ist im schlimmsten Fall die Aktie wertlos, und deren Besitzer, der Aktionär, hat alles Geld verloren, das er dafür ausgegeben hat. Aber, und das war das Entscheidende bei der Gründung der Aktiengesellschaften, darüber hinaus musste er nichts mehr bezahlen. Dagegen muss ein einzelner Unternehmer, um seine Schulden zu bezahlen, notfalls sein gesamtes Privatvermögen hergeben.

Den Aktiengesellschaften wurden regelrechte Verfassungen vorgeschrieben, die dafür sorgen sollten, dass der einzelne Aktionär, der sich ja nicht mehr um die Einzelheiten des Geschäftes kümmern konnte, nicht betrogen wurde. Die Grundsätze, die in Deutschland im 19. Jahrhundert beschlossen wurden, gelten im Prinzip bis heute: In der *Hauptversammlung* haben alle Aktionäre Sitz und Stimme; es sind aber, im Gegensatz zu einem Parlament, nicht alle Aktionäre gleich, sondern alle Aktien: Wer am meisten Aktien besitzt, hat am meisten zu sagen. Die Hauptversammlung muss den Geschäftsabschluss *(Bilanz* und *Gewinn-und-Verlust-Rechnung)* des Unternehmens billigen, sie wählt den *Aufsichtsrat,* der die laufenden Geschäfte des Unternehmens kontrolliert und die eigentliche Geschäftsleitung wählt, den *Vorstand.*

Die neuen Aktiengesellschaften brauchten auch neue Banken, um ihren hohen Bedarf an Krediten zu decken. Die alten Privatbanken wie die der Rothschilds waren nicht mehr in der Lage, die Risiken der Großindustrie mitzutragen. Deshalb gründeten deutsche Unternehmer in der zweiten Hälfte des 19. Jahrhunderts Großbanken, die selber Aktiengesellschaften waren. Die bekanntesten dieser Banken gibt es noch heute: die Deutsche und die Dresdner Bank; Letztere gehört heute zum Allianz-Konzern.

Konsum

Die Blechliesel und die Demokratisierung des Luxus

Henry Ford wurde 1863 als ältestes von sechs Kindern auf der Farm seiner Eltern, irischer Einwanderer, im amerikanischen Bundesstaat Michigan geboren. Die Fords waren, was damals nicht selbstverständlich war, wohlhabende Farmer, deshalb konnten sie ihm eine Werkstatt einrichten, in der er schon mit zwölf Jahren seinem Interesse an moderner Technik nachgehen konnte. Als Henry fünfzehn war, soll er bereits seinen ersten Motor gebaut haben, mit sechzehn verließ er das Elternhaus und ging nach Detroit, um dort den Beruf des Ingenieurs zu erlernen. Er heiratete eine Frau aus wohlhabender Familie und hatte daher bald genügend Geld, um selbst eine kleine Autofabrik zu gründen, die »Detroit Automobile Company«. Das Unternehmen produzierte 1901 einen sehr erfolgreichen Rennwagen, war aber kaufmännisch so schlecht geführt, dass Ford wenig später bankrott war. Er fand jedoch Kapitalgeber, die ihm trotzdem vertrauten, und gründete bereits 1903 in Detroit sein zweites Unternehmen, die »Ford Motor Company«, und mit der sollte er die Welt verändern. Ford stieg aus dem Renngeschäft aus und brachte stattdessen 1908 ein preiswertes, einfaches Auto auf den Markt, den so genannten Ford T.

Im Jahr 1913 revolutionierte Ford die Fertigung seines T-Modells: Früher wurden Autos Stück für Stück von einer Gruppe Arbeiter montiert, jetzt stellte man den Rahmen des T-Modells auf ein Fließband, das langsam durch die Fabrikhalle lief. Jeder Arbeiter hatte nur noch ein paar genau kalkulierte Handgriffe zu tun, zum Beispiel das Lenkrad einsetzen, Schrauben an den Achsen anziehen und Ähnliches. Das senkte zwar die Produktionskosten, verschlechterte aber die Arbeitsbedingungen in den Fabriken erheblich, weil der Tagesablauf stumpfsinniger wurde und die Hetze zunahm. Der Journalist Egon Erwin Kisch schrieb in einer Reportage über die Ford-Werke bildhaft, dort würden die Arbeiter ans Fließband »geflochten«. Charlie Chaplin machte die unmenschliche Hetze der Fließbandarbeit zum Thema in seinem berühmten Film *»Moderne Zeiten«*.

Aber die Fließbandarbeit hatte auch eine andere Seite: Sie setzte Ford in die Lage, die Löhne der Arbeiter zu verdoppeln und viel früher als andere die Arbeitszeit auf acht Stunden am Tag zu verkürzen. Und trotz der höheren Löhne konnte Ford die Preise senken. 1908 kostete der Ford T noch 980 Dollar, 1927 waren es gerade noch 270 Dollar. In der Zwischenzeit wurden von dem Auto, das die Amerikaner »Tin Lizzy« (Blechliesel) nannten, 15 Millionen Stück verkauft, eine Zahl, die erst Jahrzehnte später der Golf von Volkswagen erreichen sollte. Henry Ford hatte aus dem Auto ein Konsumgut für die breiten Massen gemacht.

Der Ford T war ein frühes Beispiel dafür, dass die Produkte der modernen Industrie das Leben auch der einfachen Menschen radikal verändern und verbessern würden. Sie bekamen als Verbraucher oder Konsumenten eine Stellung, die in früheren Zeiten unvorstellbar war. Vor der Industrialisierung hatten nur die Reichen komfortabel eingerichtete Haushalte mit Möbeln, Teppichen und Bildern an der Wand. Nur sie konnten sich nach der jeweiligen Mode kleiden. Für die Armen war fast keines der Dinge erschwinglich, die uns heute als selbstverständlich erscheinen. Im 19. Jahrhundert hatte ein Bauer zum Beispiel im Laufe seines Lebens nur sehr wenige Paar Schuhe. Die kaufte er beim Schuster in seiner Nachbarschaft und ließ sie wieder und wieder reparieren. Die Möbel kamen vom örtlichen Schreiner oder der Bauer fertigte sie selber. Die Arbeiter in den Städten lebten meist noch karger als die Bauern auf dem Land. Doch am Ende des 19. Jahrhunderts änderte sich dies. Industriewaren kamen auf den Markt, und sie wurden nach und nach so billig, dass auch normale Familien sie sich leisten konnten: Hosen, Schuhe, Nähmaschinen, Geschirr, später Fahrräder und Autos.

Mit den Waren änderte sich auch die Art und Weise, wie diese zu den Menschen kamen. Schon um 1850 entstanden in Frankreich *Warenhäuser* im modernen Sinne. 1876 gründete der Kaufmann *Georg Wertheim* in Stralsund das erste deutsche Kaufhaus, 1879 machte es ihm ebenfalls in Stralsund *Leonhard Tietz* nach; aus seiner Firma wurde später die Kaufhof AG. Auch die Namen der übrigen deutschen Kaufhausgründer des 19. Jahrhunderts leben heute noch in Firmennamen weiter: Hermann Tietz (Hertie) und Rudolph Karstadt. In ein paar wesentlichen Punkten unterschieden sich Kaufhäuser von den bis dahin üblichen Geschäften: Die Waren wurden offen präsentiert, man konnte durch das Kaufhaus schlendern, dies und jenes betrachten und unter Umständen auch gar nichts kaufen. Die Kaufhäuser hatten fest ausgezeichnete Preise, die Käufer mussten also mit den Verkäufern nicht feilschen, und sie lieferten sich gegenseitig eine heftige Preiskonkurrenz. Außerdem durfte man als Kunde Waren, die einem nicht gefielen, auch wieder umtauschen.

All dies erscheint uns heute, im Zeitalter der Supermärkte, als normal, damals bedeutete es für den Alltag der Menschen eine grundlegende Veränderung. Viele normale Einzelhändler fühlten sich durch die Konkurrenz der Warenhäuser bedroht und riefen nach Schutz durch den Staat. In

Preußen wurde aus diesem Grund 1900 per Gesetz eine Sondersteuer für Warenhäuser eingeführt. Die Nationalsozialisten machten sich in den 20er und 30er Jahren die Angst der kleinen Ladenbesitzer vor den Warenhäusern in ihrer antisemitischen Propaganda zunutze, weil einige Warenhausbesitzer, zum Beispiel Leonhard und Hermann Tietz, Juden waren.

Aber Sondersteuern und Propaganda konnten nicht verhindern, dass die billigen Industrieprodukte die Gesellschaft veränderten: Mehr und mehr Menschen konnten sich zum Beispiel schicke Kleidung leisten, dadurch wurde die Mode ein Massenphänomen. Ein Forscher nannte dies einmal die »Demokratisierung des Luxus«. In Amerika setzte diese Entwicklung schon vor dem Ersten Weltkrieg ein, in Deutschland begann sie zögernd in den 20er Jahren, entfaltete sich aber erst richtig nach dem Zweiten Weltkrieg. Der wachsende Wohlstand in der Bundesrepublik nach 1949 blieb den Bürgern in Gestalt der Produkte in Erinnerung, die sie sich nach und nach leisten konnten und die wie Wellen über das Land kamen: Man sprach damals von der »Fresswelle«, der »Kleidungswelle«, der »Einrichtungs-« und der »Reisewelle«. Nach und nach wurden Radio, Waschmaschine, Fernseher und Auto zum Standard in deutschen Haushalten.

Der Massenkonsum wurde durch eine weitere Erneuerung gefördert: den *Markenartikel*. Industriebetriebe konnten, anders als Handwerker, Produkte in gleichbleibender Qualität herstellen. Deshalb gab man den Produkten einen Namen und eine Verpackung, die alle Verbraucher auf den ersten Blick erkannten. Ein Waschmittel hieß »Persil«, Suppenwürze »Maggi«, Schuhe »Salamander«, Hautcreme »Nivea«. Heute sind einige Marken nicht nur in ein-

zelnen Ländern, sondern rund um den Globus bekannt, etwa: »Coca-Cola« (Limonade), »McDonald's« (Schnell-restaurants), »Adidas« (Turnschuhe), »Levi's« (Jeans).

Markenartikel müssen in großen Stückzahlen hergestellt werden, damit sie sich rentieren. Und damit viele Menschen sie kaufen, müssen sie sie erst einmal kennen lernen. Ein Handwerker, der nur wenige Kunden in der unmittelbaren Nachbarschaft hatte, konnte darauf bauen, dass die Leute von selbst zu ihm kamen, ein Industriebetrieb, der Marken-artikel anbietet, muss die Verbraucher eines Landes und unter Umständen der ganzen Welt davon überzeugen, dass sie seine Ware kaufen. Der Markenartikler muss, mit ande-ren Worten, seine Kunden *umwerben* – eine Notwendig-keit, aus der heraus die *Werbung* zu einem der wichtigsten Wirtschaftszweige wurde.

Reklame gab es schon in den Frühzeiten der Industriali-sierung. Im Dezember 1854 erhielt der Buchdrucker Ernst

Theodor Amandus Litfaß vom Polizeipräsidenten von Berlin die Erlaubnis, 150 »Annoncier-Säulen« in der preußischen Hauptstadt aufzustellen. Sein Ziel war es zunächst nur, das wilde Plakatieren an den Berliner Häuserwänden einzudämmen. Tatsächlich jedoch hatte er ein wunderbares Werbemedium für die junge Industrie erfunden. Plakate für Industrieprodukte prägten schon in den 20er Jahren das Stadtbild in allen Metropolen der Welt. Heute gibt es in Deutschland über 17 000 Litfaßsäulen und eine noch größere Anzahl von Plakatwänden. Andere Werbemittel kamen hinzu: Zeitungsannoncen, Rundfunk-, Fernseh- und Kinospots.

Bei der Werbung geht es allerdings nicht nur darum, die Verbraucher zu informieren und sie zum Beispiel über die Laufeigenschaften eines Turnschuhs zu unterrichten. Die Werbegraphiker und -texter, die für die Unternehmen die Plakate und Fernsehspots entwerfen, wollen direkt die Gefühle der Menschen ansprechen. Marktforscher untersuchen mit wissenschaftlichen Methoden die Bedürfnisse und Wünsche der Verbraucher, auch solche, die ihnen unter Umständen gar nicht bewusst sind. Deshalb sieht man auf den Plakaten nicht einfach nur schöne Turnschuhe, sondern schöne Menschen, die schöne Turnschuhe tragen. Ohne dass dies extra ausgesprochen wird, wecken die Werbeleute Hoffnungen: Wenn ich diesen Turnschuh kaufe, dann werde ich so schön und sportlich sein wie die Menschen auf dem Plakat, dann werde ich auch eine besonders schöne Freundin oder einen besonders schönen Freund bekommen. Im Jahr 2003 wurden in Deutschland für Werbung 28,91 Milliarden Euro ausgegeben.

Henry Ford selbst verstand übrigens die Bedürfnisse seiner Kunden nur begrenzt. Er produzierte das T-Modell viel zu lange; andere Hersteller boten damals schon bessere Modelle an, wodurch Fords Unternehmen in ernste Schwierigkeiten geriet. Und er weigerte sich, bei den Farben der Autos auf die Wünsche der Verbraucher einzugehen. Von ihm ist der Spruch überliefert: *»Meine Kunden dürfen die Farbe ihres Autos frei wählen, vorausgesetzt es handelt sich dabei um Schwarz.«*

Imperialismus

Almayers Wahn

Eines Abends im Jahre 1899 blickte *Cecil Rhodes* zum Sternenhimmel über Afrika hinauf und seufzte: »Expansion ist alles – diese Sterne, diese unendlichen Weiten, die wir nie erreichen können ... Ich würde die Planeten erobern, wenn ich könnte!« Der britische Politiker Rhodes war zu dieser Zeit gerade dabei, den Süden Afrikas für England zu erobern, zuerst eher diplomatisch, später mit zunehmender Brutalität. Er brachte das heutige Botswana in seine Gewalt und vertrieb dessen König ins Exil. Rhodes ist einer der führenden Repräsentanten eines neuen Zeitalters, das ungefähr um das Jahr 1875 begonnen hat, die Ära des *Imperialismus.*

Expansion ist alles – das war das Motto dieser Zeit. Die europäischen Mächte hatten den größten Teil der übrigen Welt unter sich aufgeteilt, vor allem Großbritannien und in zweiter Linie Frankreich beteiligten sich an dem Wettlauf, aber auch die Niederlande, Deutschland, Italien und Belgien. Spanien und Portugal herrschten noch über Reste ihrer früheren Kolonien.

Das britische Weltreich erstreckte sich über die gesamte Weltkugel; der wichtigste Teil war Indien: Die britische Königin Victoria wurde 1876 zur Kaiserin von Indien gekrönt. Außerdem gehörten weite Teile Afrikas zum britischen *Empire,* Australien, Neuseeland, Kanada und viele Inseln auf allen Weltmeeren. Frankreich besaß Westafrika von Algerien bis zum Äquator, außerdem Vietnam, Laos und Kambodscha; das Gebiet der niederländischen Ostindischen Kompagnie war zur Kolonie Niederländisch-Indien geworden, der Kongo gehörte dem belgischen König, die

Deutschen eroberten ein paar Flecken in Afrika und in der Südsee. Um die Jahrhundertwende beherrschten die Europäer fast die gesamte Welt, etwas, was es vorher und auch später nie wieder gegeben hat.

Der Imperialismus führte zum ersten Mal zu einer wirklich *globalisierten* Weltwirtschaft. Auch die entlegensten Teile der Welt waren jetzt in die internationale Arbeitsteilung mit einbezogen. Aus aller Welt kamen »Kolonialwaren« nach Europa: Tee, Kaffee, Kakao, Kautschuk, exotische Früchte wie Bananen. Dampfschiffe kreuzten auf allen Ozeanen, über Kabel konnte man Telegramme verschicken, selbst quer durch den Atlantik, die Vermessung der Welt erleichterte den Verkehr. Ein Symbol dafür ist bis heute die Sternwarte im Londoner Vorort Greenwich, durch den britische Geographen den Nullmeridian legten, eine gedachte Linie vom Nord- zum Südpol, neben die sich die anderen Längengrade reihen.

Ein globales Währungssystem begünstigte den Handel zusätzlich, der *Goldstandard:* Alle großen Staaten hatten

den Preis ihrer Währungen an den des Goldes gebunden. So war zum Beispiel genau festgelegt, wie viel Gold man für eine Mark des Deutschen Reiches bekam. Sollte der Preis einmal von diesem Standard abweichen, war die Deutsche Reichsbank verpflichtet, Gold so lange zu kaufen oder zu verkaufen, bis der Preis wieder stimmte. Weil alle sich an diese Regeln hielten, konnten Kaufleute risikolos in fremden Währungen Geschäfte abwickeln. Das schlug sich nieder im Wachstum des Welthandels. Im Jahr 1800 wurden weltweit 1,4 Milliarden Dollar umgesetzt, 1913 waren es 38,1 Milliarden. Viele Nationen nutzten diese Epoche zum wirtschaftlichen Aufstieg, besonders das Deutsche Reich, das erst 1871 geeint worden war und sich schnell zu einer Exportmacht entwickelte. Schon 1899 hatte Deutschland Großbritannien bei der Ausfuhr von Industrieprodukten überholt.

Für die unterworfenen Länder des Südens sah der Imperialismus dagegen hässlich aus. Zwar trugen besonders die Briten auch zur Entwicklung ihrer Kolonien bei: Sie bauten Eisenbahnen, schufen ein modernes Bildungs- und Rechtssystem und öffneten ihre Märkte für Produkte aus dem Süden. Allerdings hatten sie in Indien zuvor die dortige Textilindustrie zerstört – in der erklärten Absicht, dass sie der britischen keine Konkurrenz mehr machen konnte. Die einheimische Bevölkerung wurde rücksichtslos ausgebeutet. Zwar haben im 19. Jahrhundert die letzten westlichen Staaten offiziell die Sklaverei abgeschafft: 1865 die Vereinigten Staaten nach einem blutigen Bürgerkrieg, 1888 Brasilien. Aber in vielen europäischen Kolonien wurden die Einheimischen wie Sklaven gehalten. Berüchtigt waren die Praktiken etwa im Belgisch-Kongo. Dort wurden Männer gezwungen, große Mengen an Kautschuk, das Rohmaterial für Gummi, zu ernten; schafften sie das geforderte Soll nicht, dann hackten ihnen die Büttel der Kolonialherren die Hände ab. Die Deutschen schlugen einen Aufstand in ihrer Kolonie Südwestafrika grausam nieder. Dabei wurden 80 Prozent des Volkes der Herero umgebracht. Als im Jahre 1900 in China ein Aufstand gegen die ungerechten Verträge der Europäer mit ihrem Land ausbrach (»Boxer-Aufstand«), schickten mehrere europäische Staaten ein Strafkommando nach Peking. Die Worte, mit denen der deutsche Kaiser Wilhelm II. die Soldaten einwies, zeigen die damalige Einstellung der Europäer: »*Pardon wird nicht gegeben, Gefangene werden nicht gemacht! Führt die Waffen so, dass auf tausend Jahre hinaus kein Chinese es mehr wagt, einen Deutschen scheel anzusehen.*«

Was sind die Ursachen des Imperialismus? Vor 100 Jahren glaubten vor allem Anhänger von Karl Marx, wie die deutsche Sozialistin *Rosa Luxemburg* (1871 – 1919) oder der russische Revolutionär *Wladimir Lenin* (1870 – 1924), der Imperialismus sei die höchste und letzte Stufe des Kapitalismus. Der Kapitalismus müsse, da er die Ausbeutung der einheimischen Arbeiter nicht weiter verschärfen könne, nach außen wachsen, um seinen Untergang hinauszuschieben. Der Imperialismus hätte nach diesen Theorien vor allem wirtschaftliche Gründe gehabt. Die Wirklichkeit sah anders aus. Sicher standen am Anfang vieler Eroberungen wirtschaftliche Interessen: etwa die der niederländischen Ostindischen Kompagnie im heutigen Indonesien oder die ihres britischen Gegenstücks bei der Kolonisierung Indiens. Viele andere Eroberungen aber, besonders in Afrika, hatten kaum wirtschaftlichen Nutzen. Die deutschen Kolonien in Südwestafrika, Togo, Kamerun und in Tanganjika kosteten das Deutsche Reich wesentlich mehr, als sie ihm einbrachten. Im Übrigen muss man ja ein Land nicht erobern, um mit ihm Handel zu betreiben.

Außerdem gab es zwischen den einzelnen Kolonialmächten große Unterschiede. England betrieb nach außen und in seinem Reich selbst eine Politik des fast uneingeschränkten Freihandels. Kaufleute aus anderen Ländern konnten ihre Waren frei nach London liefern, ohne durch hohe Zölle behindert zu werden. Andere Länder verließen mit dem Beginn des Imperialismus ihre Freihandelspolitik. Sie schützten die eigene Produktion durch Zölle und versuchten ihre wirtschaftliche Macht zu Lasten anderer Länder auszudehnen. Das trifft besonders auf Deutschland zu. Dort begann die Regierung auf Betreiben des Reichskanzlers Otto von Bismarck 1876 nach und nach die Zölle zu erhöhen.

Die Möglichkeit, die Welt unter sich aufzuteilen, bekamen die Europäer durch ihre wirtschaftliche und technische Überlegenheit. Diese war nie so groß wie an der Schwelle zum 20. Jahrhundert. Dass sie diese Möglichkeit auch nutzten, hat vielleicht etwas mit dem durch die Industrialisierung ausgelösten rasanten Wachstum der Bevölkerung zu tun: Es gab viele abenteuerlustige Männer, die zu Hause keine passenden Aufgaben für sich fanden. Wahrscheinlich war der ganze Imperialismus auch in Teilen einfach ein verrücktes Unternehmen: Die Europäer konnten mit ihrer eigenen Überlegenheit nicht umgehen. »Weltpolitik bedeutet für eine Nation dasselbe wie Größenwahn bei einem einzelnen Menschen«, sagte der liberale deutsche Politiker Eugen Richter, der die Kolonialpolitik seines eigenen Landes bekämpfte. Zudem waren die Verhältnisse in den tropischen Kolonien oft zu viel für das Gemüt der Europäer und brachten sie um ihr inneres Gleichgewicht; eine Atmosphäre des Unwirklichen, der Verrücktheit entstand, die der britische Schriftsteller *Joseph Conrad* beschrieb. Sein erster, 1894 vollendeter Roman »*Almayers Wahn*« handelt vom moralischen und sittlichen Verfall eines Handelsreisenden auf Borneo.

Der Wahn des Expansionsstrebens trug den Keim der Zerstörung in sich. Die europäischen Staaten wandten sich nicht nur von der Ordnung des Freihandels ab, sie traten auch gegeneinander immer aggressiver auf. Diese Aggressivität zeigte sich besonders bei den Staaten, bei denen der wirtschaftliche Fortschritt erst spät eingesetzt hatte. Im Deutschen Reich glaubten viele, Deutschland sei im imperialistischen Wettlauf zu kurz gekommen und habe Anspruch auf einen »Platz an der Sonne«. Es traten reaktionäre Organisationen auf, wie der Alldeutsche Verband, der Ostmarkenverband oder der Flottenverein, die gegen Polen und Juden hetzten und die Eroberung fremder Gebiete in Osteuropa oder Afrika forderten. Die Regierung betrieb die Expansion Deutschlands auf Kosten der Nachbarn.

In der Donaumonarchie Österreich-Ungarn lebten neben Deutschen und Ungarn viele andere Völker zusammen: Tschechen, Slowaken, Rumänen, Juden, Polen, Kroaten, Italiener und andere. Gegen Ende des 19. Jahrhunderts wurde die Stimmung unter den Nationalitäten immer gespannter. Die deutschsprachigen Bürger hassten die tschechischen Arbeiter und umgekehrt. Antisemitische Bewegungen entstanden, die die Minderwertigkeit der Juden predigten. Die hasserfüllte Atmosphäre prägte viele Menschen nachhaltig negativ, darunter auch einen jungen, arbeitslosen Mann aus Linz, der sich von 1908 bis 1913 in Wohnheimen und Obdachlosenunterkünften der Stadt Wien durchschlug; sein Name war *Adolf Hitler.*

Österreich-Ungarn hatte zu Beginn des 20. Jahrhunderts

einen besonders gefährlichen Landstrich in seiner Nachbarschaft annektiert: Bosnien. Hier auf dem Balkan lebten moslemische Bosniaken, orthodoxe Serben und katholische Kroaten in einem spannungsreichen Gleichgewicht zusammen. Besonders die Serben waren mit dem Zustand unzufrieden, sie strebten den Anschluss Bosniens an das serbische Königreich an. Am 28. Juni 1914 erschoss der nationalistische serbische Student Gavrilo Princip in Sarajevo den österreichischen Thronfolger Franz Ferdinand. Die Regierung in Wien stellte daraufhin ein hartes Ultimatum an Serbien, und die Spannungen führten binnen weniger Wochen zum Ausbruch des Ersten Weltkriegs am 1. August 1914, der die europäisch dominierte Weltwirtschaftsordnung ein für alle Mal zerstören sollte.

Die große Krise

Krieg, Inflation und Arbeitslosigkeit

Wer ein Geschäft betreibt, muss spekulieren, ob er nun will oder nicht: Wenn ein Unternehmer Geld in eine neue Maschine steckt, dann setzt er darauf, dass er deren Produkte *in Zukunft* mit Gewinn verkaufen kann – absolut sicher kann er sich dessen aber nicht sein. Zum Beispiel kann er den Geschmack seiner Kunden falsch einschätzen, es können unvorhergesehene Dinge passieren, etwa ein Krieg oder eine Naturkatastrophe, die alle Erwartungen über den Haufen werfen. Geht die Kalkulation auf, dann verdient der Unternehmer viel Geld, das er wieder in das Wachstum seiner Firma stecken kann; neue Arbeitsplätze entstehen; auch jene Firmen, von denen er seine Rohstoffe bezieht, blühen auf. Eine geglückte Investition stärkt so die gesamte Wirtschaft. Das gilt aber auch umgekehrt: Hat sich der Unternehmer verrechnet, dann führt seine Investition zu Verlusten, er muss Arbeiter entlassen, kann weniger Waren einkaufen; geht er bankrott, dann zieht er andere mit in den Abgrund.

Ob sich ein Unternehmer verrechnet oder nicht, hängt von ihm selbst ab, aber nicht nur. Damit ein Unternehmer investieren kann, braucht er neue Ideen, Kredite, deren Zinsen nicht zu hoch sein dürfen, und Kunden, die über ausreichend Geld verfügen. All dies ist nicht immer im gleichen Maß vorhanden. Und weil alle Unternehmer über ihre Erwartungen und Investitionen miteinander verbunden sind, kommt es zu einem Auf und Ab in der Wirtschaft: Gewinne und Verluste schwanken in Wellenlinien. Man nennt dies den *Konjunkturzyklus* (lateinisch: *coniungere* = verbinden).

Das Wort *Konjunktur* meint die Verbindung aller Wirtschaftsdaten, man kann auch sagen: die gesamtwirtschaftliche Lage. In der Hochkonjunktur, dem Aufschwung oder Boom, verdienen alle Unternehmer gut, neue Arbeitsplätze entstehen, und wer Arbeit haben will, der findet auch welche. Im Gegenstück dazu, in der *Rezession*, verdienen die Unternehmer kein Geld und entlassen Arbeiter. Sie kaufen keine neuen Maschinen, weil sie sich auch für die Zukunft kein Geschäft versprechen. Der Pessimismus breitet sich in der ganzen Wirtschaft aus. Irgendwann kehrt sich die Erwartungshaltung um, die Unternehmer investieren wieder und der Zyklus beginnt von neuem.

Einen Wechsel von guten und schlechten Zeiten gab es schon immer. Früher hing das Auf und Ab von guten und schlechten Ernten, von Epidemien und Veränderungen in der Bevölkerungszahl ab, seit der industriellen Revolution waren die Geschäftserwartungen der Fabrikherren entscheidend. Rezessionen waren für die betroffenen Menschen hart. Sie wurden entlassen, mussten hungern und verstanden überdies nicht, warum. Denn anders als früher bei Missernten waren die Ursachen moderner Wirtschaftskrisen nicht für jedermann zu erkennen. Die schlimmste Rezession aller Zeiten passierte aber nicht im 19., sondern im 20. Jahrhundert. Sie war in ihren Folgen so verheerend, dass man bis heute von »der« Weltwirtschaftskrise spricht. Millionen von Menschen auf der ganzen Welt wurden in Not und Elend gestürzt. In Deutschland führte die Krise dazu, dass immer mehr Menschen Adolf Hitler und seine NSDAP wählten. Ohne die Weltwirtschaftskrise wären die Nazis vielleicht nie an die Macht gekommen, der Massenmord an den Juden und der Zweite Weltkrieg mit insgesamt etwa 60 Millionen Toten wären der Welt erspart geblieben.

Die Geschichte dieser Weltwirtschaftskrise beginnt genau genommen am 1. August 1914, dem Tag, an dem Österreich-Ungarn Serbien den Krieg erklärte und der Erste Weltkrieg begann. Das Schlachten dauerte über vier Jahre lang. Die Folgen waren katastrophaler, als die Krieg führenden Länder auch in ihren schlimmsten Befürchtungen geglaubt hatten: 10 Millionen Menschen starben, weite Landstriche, besonders in Belgien und im Norden Frankreichs, wurden verwüstet, die Wirtschaftskraft nachhaltig geschädigt, und zwar bei den Verlierern Deutschland und Österreich ebenso wie bei den Siegern Großbritannien, Frankreich und Italien. Die Grundlagen der alten europäischen Wirtschaftsordnung waren nach Kriegsende 1918 vernichtet: der – in Maßen – freie Warenverkehr und der Goldstandard. Dazu trugen die Zerstörungen des Krieges ebenso bei wie die unkluge Politik der Sieger. Im Friedensvertrag von Versailles verlangten sie von Deutschland Gebietsabtretungen und Entschädigungen (Reparationen), deren Ausmaß zunächst gar nicht begrenzt war. Das besiegte Land hätte selbst bei bestem Willen keine Chance gehabt, wirtschaftlich wieder zu gesunden und seinen Verpflichtungen aus der Niederlage nachzukommen.

Diesem Problem versuchte die demokratisch gewählte Reichsregierung in Berlin dadurch nachzukommen, dass sie einfach Geld druckte. Dadurch stiegen, wie zu erwarten, die Preise, und die Mark verbilligte sich im Verhältnis zu ausländischen Währungen. Das erleichterte es deutschen Unternehmern, Waren ins Ausland zu verkaufen, denn die wurden, in ausländischer Währung gemessen, immer billiger. Für ausländische Unternehmer wurde es günstiger, in Deutschland Fabriken zu kaufen oder neu zu bauen. So entstanden neue Arbeitsplätze. Außerdem hatte die Teuerung den Vorteil, dass die Schulden immer weniger wert waren, die der abgesetzte Kaiser Wilhelm II. angehäuft hatte, um den Krieg zu bezahlen. Die Politik der Geldentwertung schien Deutschland zunächst einmal zu nützen.

Als dann aber die Regierung mit Kohlelieferungen an die Siegermächte in den Rückstand geriet, besetzten französische Truppen am 11. Januar 1923 das Ruhrgebiet. Deutschland rief daraufhin den »passiven Widerstand« aus, die Arbeiter traten in den unbefristeten Streik und legten die Wirtschaft im Ruhrgebiet, dem industriellen Herzen des Deutschen Reiches, lahm. Weil die Arbeiter ja von irgendetwas leben mussten, zahlte die Regierung deren Lohn weiter. Zu diesem Zweck mussten immer mehr Banknoten gedruckt werden, und da dem frischen Geld keine erzeugten Waren gegenüberstanden, verlor es immer schneller an Wert. In Deutschland brach eine der schlimmsten Geldentwertungen *(Inflationen)* der Weltgeschichte aus. Die Mark verlor so schnell an Wert, dass die Fabrikanten den Arbeitern jeden Morgen ihren Lohn ausbezahlten, damit diese noch vor Arbeitsbeginn Lebensmittel kaufen konnten – denn am Abend war ihr Lohn nur noch halb so viel wert. Am 26. September 1923 wurde der aussichtslose »Ruhrkampf« aufgegeben. Im November, dem Höhepunkt der Inflation, musste man für einen Dollar 4 200 000 000 000 (4,2 Billionen) Mark bezahlen. Die gesamten Kriegsschulden des Deutschen Reiches, 164 Milliarden Mark, waren – gemessen am Geldwert von 1914, noch 16 Pfennige wert.

Nach einer Übergangszeit gab die Deutsche Reichsbank eine neue Währung aus, die Deutsche Reichsmark, und es gelang ihr, die Wirtschaft zu stabilisieren. Deutschland war international wieder kreditwürdig, die Reichsregierung konnte deutsche Staatsanleihen im Ausland anbieten, be-

sonders amerikanisches Kapital strömte ins Land. Zum Beispiel kaufte im Jahre 1928 General Motors aus Detroit die Adam Opel AG in Rüsselsheim und bewahrte das Unternehmen so vor dem Untergang. Aber die Inflation hatte das Vertrauen der Deutschen in die neue Demokratie und in die freie Wirtschaft nachhaltig erschüttert. Schließlich waren nicht nur die Schulden der Regierung verschwunden, sondern auch das Geld all der Bürger, die ihr Geld der Regierung geliehen hatten: Anleihen, Sparbücher und Versicherungen waren nur noch das Papier wert, auf dem sie gedruckt waren. Wer die Inflation damals miterlebt hatte, der konnte sie sein ganzes Leben lang nicht mehr vergessen.

Nur sechs Jahre nach Einführung der neuen Währung geriet Deutschland in den Strudel der eigentlichen Weltwirtschaftskrise. Als deren offizieller Beginn gilt der 24. Oktober 1929, der »Schwarze Freitag«. An diesem Tag brachen die Aktienkurse an der *Wall Street,* der New Yorker Börse, ein. Die Aktionäre verkauften panikartig ihre Papiere, wo-durch deren Kurse immer weiter sanken. Bis zum Jahres-ende hatten die amerikanischen Aktien im Durchschnitt ein Drittel ihres Wertes verloren. Die Aktionäre in Amerika verhielten sich 1929 fast genauso wie die holländischen Kaufleute, Handwerker und Mägde während der großen Tulpenzwiebelspekulation über 300 Jahre zuvor: Zuerst glaubten sie, die Kurse der Aktien würden auf alle Zeiten immer weiter steigen, und hatten sich deshalb verschuldet, um möglichst viele Aktien kaufen zu können. Jetzt verloren sie nicht nur ihr Vermögen, sondern konnten auch ihre Kre-dite nicht mehr zurückzahlen, sie waren pleite und zogen diejenigen mit in den Abgrund, die ihnen das Geld geliehen hatten. Die Banken konnten nun ihre eigenen Kredite nicht mehr zurückzahlen und brachen zusammen. Jetzt rollte die Krise wie eine Lawine über die ganze Welt. Amerikanische Banken mussten sich mit ihren Geschäften aus Europa und im Besonderen aus Deutschland zurückziehen.

Das war fatal, denn Deutschland war wegen der Repara-tionszahlungen an die Sieger des Ersten Weltkrieges drin-gend auf amerikanische Kredite angewiesen. Im Mai 1931 brach in Österreich eine wichtige Bank zusammen (die Creditbank), im Juli in Deutschland die Darmstädter und Nationalbank. Damit geriet Deutschland in einen katastro-phalen Sog. Immer mehr Unternehmen gingen pleite, Ar-beiter wurden entlassen. Die Massenarbeitslosigkeit nahm ein in der Geschichte noch nie gekanntes Ausmaß an. Im Jahre 1932 waren sechs Millionen Deutsche ohne Beschäfti-gung und mussten sich in Schlangen vor den Arbeitsämtern einreihen, um Unterstützung zu bekommen. Arbeitslos zu sein war damals viel schlimmer als heute. In fast allen Fami-lien waren die Männer die Einzigen, die Geld verdienten, die Frauen mussten sich um die Kinder und um den Haushalt kümmern. Verlor ein Mann seine Arbeit, dann geriet die ganze Familie in Not, denn die Arbeitslosenunterstützung war damals winzig und wurde im Zuge der Krise sogar noch gekürzt. Damit beschleunigte sich die Talfahrt noch mehr: Die Menschen hatten noch weniger Geld zum Ausgeben, die Geschäfte verkauften noch weniger, die Preise sanken, und die Unternehmer warteten mit ihren Investitionen, weil sie damit rechneten, dass bald alles noch billiger werden würde. Der Preisverfall *(Deflation)* machte aus der Rezession eine *Depression*.

Die Politiker taten das Falsche, weil sie es nicht besser wussten oder nicht anders konnten, und verschärften die Krise noch. Regierungen strichen ihre Staatshaushalte zusammen, die Notenbanken gaben weniger Geld aus, das System des freien Welthandels brach zusammen. Großbritannien und Frankreich ließen den Kurs von Pfund und Franc gegenüber dem Dollar verfallen, um ihre Waren im Ausland besser verkaufen zu können. Deutschland war dieser Weg einer *kompetitiven Abwertung* wegen der Auflagen der Siegermächte verwehrt. Dadurch wurde die Reichsmark gegenüber dem Ausland immer teurer und die deutsche Exportindustrie brach zusammen. Fast alle Industriestaaten versuchten, ihre Probleme auf Kosten der anderen zu lösen, indem sie ihre Ausfuhren künstlich verbilligten und ihre Einfuhren verteuerten, die Krise wurde zur Katastrophe.

In allen großen Industrieländern führte die Wirtschaftskrise zu politischen Krisen, am schlimmsten aber war es in Deutschland. Hier wurde innerhalb kurzer Zeit eine Partei zur stärksten Macht, die ungeschminkt klarmachte, was sie wollte: die Demokratie abschaffen, ihre politischen Gegner vernichten, die Juden entrechten und andere Länder in Osteuropa erobern. Es war die Nationalsozialistische Deutsche Arbeiterpartei (NSDAP). Am 30. Januar 1933 wurde deren Führer Adolf Hitler zum Reichskanzler ernannt; seine Partei stellte damals schon die stärkste Fraktion im Reichstag. Große Teile der Bevölkerung erhofften sich von Hitler eine Besserung der wirtschaftlichen Lage. Er sollte Deutschland allerdings in die schlimmste Katastrophe seiner Geschichte führen. Die Herrschaft der Nazis dauerte bis zum 8. Mai 1945, als Deutschland den von Hitler angezettelten Zweiten Weltkrieg verlor. Es wäre falsch, zu behaupten, allein die Weltwirtschaftskrise sei an Hitlers Aufstieg schuld. Schließlich waren andere Länder von ihr ebenfalls betroffen, ohne dass es dort einen Hitler gegeben hätte. Kaum vorstellbar aber, dass die Nazis ohne die Krise an die Macht gekommen wären.

Die Katastrophe von 1929 löste unter Wirtschaftswissenschaftlern auf der ganzen Welt ein radikales Umdenken aus. Offenbar genügte es nicht, darauf zu vertrauen, dass der Wettbewerb auf freien Märkten schon irgendwann Angebot und Nachfrage ausgleichen würde. Es bedurfte einer völlig neuen Wirtschaftspolitik. Unter den Ökonomen der damaligen Zeit ragt einer hervor, dessen Einfluss noch bis heute anhält: *John Maynard Keynes.*

Keynes wurde 1883 in der britischen Universitätsstadt Cambridge geboren; er war ein gebildeter, sensibler und kunstsinniger Wissenschaftler, der sich schon früh über die Moralvorstellungen seiner Zeit hinweggesetzt hatte. Keynes war homosexuell und machte auch gar kein Hehl aus seiner Veranlagung. Zum ersten Mal sorgte er im Jahr 1920 für Aufsehen: Er trat als Mitglied der britischen Delegation bei den Friedensverhandlungen mit Deutschland zurück, weil er fürchtete, dass der Vertrag von Versailles zu einer ökonomischen Katastrophe führen würde. Seine Sorgen schrieb er in einem Buch nieder (*»Die wirtschaftlichen Folgen des Friedensvertrages«*), das sofort einen durchschlagenden Erfolg hatte. Die Weltwirtschaftskrise veranlasste ihn, seine Gedanken weiterzuführen, und so entstand 1936 sein Hauptwerk, die *»Allgemeine Theorie der Beschäftigung, des Zinses und des Geldes«* – es ist inzwischen ein Klassiker der ökonomischen Literatur.

Bis dahin hatten die Ökonomen geglaubt, eine Wirtschaftskrise mit Arbeitslosigkeit würde sich irgendwann von selbst wieder auflösen: Die Löhne würden einfach so lange sinken, bis es sich für die Unternehmer wieder lohnte, Arbeiter einzustellen; und die Zinsen für Kredite würden so lange sinken, bis das Geldleihen so billig wäre, dass Fabrikanten wieder neue Maschinen kauften. Diese Theorie, sagte Keynes, stimmt manchmal, aber nicht immer. Es kann auch passieren, dass die Unternehmer bei sinkenden Löhnen und Zinsen damit rechnen, dass alles immer noch weiter sinkt, und einfach weiter abwarten, ohne in neue Maschinen zu investieren und Arbeiter einzustellen. Die Wende kommt dann nie.

Um aus dieser fatalen Situation herauszukommen, so Keynes, muss der Staat eingreifen, die Regierung sich notfalls verschulden und Geld für Investitionen ausgeben, so dass die Nachfrage nach Waren steigt und die Unternehmer ihrerseits wieder zu investieren beginnen. Keynes forderte, dass sich die Regierung gerade umgekehrt verhalten solle wie Privatleute: In schlechten Zeiten solle sie nicht weniger, sondern mehr ausgeben und in guten weniger. Eine derartige *antizyklische* Konjunkturpolitik werde für Stabilität sorgen und künftige Depressionen vermeiden.

In den 30er Jahren begannen einige Regierungen mit einer

Wirtschaftspolitik, die den Ideen von Keynes entsprach. Der amerikanische Präsident *Franklin D. Roosevelt* versuchte, die Arbeitslosen durch riesige Straßenbau- und Staudammprojekte von der Straße zu holen, außerdem führte er die Grundlagen einer sozialen Sicherung ein. Aber erst nach dem Zweiten Weltkrieg verbreitete sich die keynesianische Wirtschaftspolitik auf der ganzen Welt.

Die falsche Hoffnung

Lenin, Stalin und die Planwirtschaft

Unter den Folgen des Ersten Weltkriegs hatte ein Land besonders zu leiden: das Russische Reich. Russland, das zusammen mit England und Frankreich gegen Deutschland und Österreich kämpfte, war im Vergleich zum übrigen Europa arm und rückständig. Das Land wurde, wie seit Jahrhunderten, von einem despotischen Zaren regiert. Vor allem seine Bauern waren unterdrückt und fast mittellos. Deshalb war die Kampfmoral der russischen Truppen im Krieg von Anfang an schlecht. Zu Beginn des Jahres 1917 war es schon abzusehen, dass Russland den Krieg verlieren würde; deutsche und österreichische Truppen standen weit auf russischem Gebiet. Die Soldaten des Zaren wussten nicht mehr, wofür sie kämpfen sollten, und wollten nur noch eines: Frieden.

Im März 1917 kam es in der damaligen russischen Hauptstadt Petrograd (dem heutigen St. Petersburg) zu einer Revolution. Die Herrschaft von Zar Nikolaus II. brach zusammen, und russische Politiker, die eine westliche Demokratie nach dem Vorbild Großbritanniens, Frankreichs oder der Vereinigten Staaten wollten, übernahmen die Macht. Doch diese Demokraten wollten an der Seite der Westmächte weiterkämpfen, deshalb wandte sich das ausgelaugte russische Volk enttäuscht von ihnen ab. Im Oktober 1917 gelang es daher Wladimir Iljitsch Lenin, dem Führer einer Minderheitsfraktion unter den russischen Sozialdemokraten, sich an die Macht zu putschen. Der Putsch erhielt später den Namen »Oktoberrevolution« – mit einer gewissen Berechtigung, denn die Folgen des Aufstandes gingen weit über die eines normalen Putsches hinaus. Die Revolution führte zu einer radikalen Umgestaltung Russlands. Das riesige Reich wurde zur Sowjetunion, dem ersten Land der Erde, in dem versucht wurde, nach den Vorstellungen von Karl Marx eine »klassenlose Gesellschaft« und eine sozialistische Wirtschaftsordnung aufzubauen.

Lenin errichtete zunächst die Diktatur seiner Bolschewisten, die sich später »Kommunisten« nannten, und setzte sich in einem langen Bürgerkrieg gegen Zaristen, Demokraten und ausländische Truppen durch, die die alte Ordnung retten wollten. Sein Nachfolger Josef Stalin errichtete nach 1928 ein Terrorregime, dem Millionen von Menschen, darunter auch die führenden Organisatoren der Oktoberrevolution, zum Opfer fielen.

Lenin glaubte, dass der Imperialismus die letzte, »verfaulte« Form des Kapitalismus sei, die notwendigerweise vom Sozialismus, also der Klassendiktatur der Arbeiter, abgelöst werden müsse. Das einzig Positive am Imperialismus lag aus Lenins Sicht darin, dass die imperialistischen Staaten, ohne es zu wollen, schon ihren eigenen Untergang vorbereitet hatten: Sie hatten die Institutionen entwickelt, mittels derer die Arbeiter ihre Diktatur ausüben würden. Und diese Institutionen sah Lenin in der Kriegswirtschaft des Deutschen Reiches.

Deutschland hatte sich seit 1880 nach und nach von einigen Regeln der freien Marktwirtschaft verabschiedet, vor allem von denen des Freihandels. Im Ersten Weltkrieg hatte die Regierung in Berlin die deutsche Wirtschaft dann mehr und mehr zentral gesteuert. Lenins Vorbild war die deutsche Post: »*Unser nächstes Ziel ist, die ganze Volkswirtschaft nach dem Vorbild der Post zu organisieren, und zwar so, dass die unter der Kontrolle des bewaffneten Proletariats*

*stehenden Techniker, Aufseher, Buchhalter sowie alle beam-
teten Personen ein den Arbeiterlohn nicht übersteigendes
Gehalt beziehen, das ist die wirtschaftliche Grundlage des
Staates, wie wir sie brauchen.*« An einer anderen Stelle
schrieb er: »*Alle Bürger verwandeln sich hier in entlohnte
Angestellte und Arbeiter eines das gesamte Volk umfassenden Staatssyndikats.*«

Bereits im Dezember 1917 wurden die russischen Banken
verstaatlicht, wenig später die Industriebetriebe. Arbeiter-
komitees beschlagnahmten Lebensmittel bei den Bauern.
Waren wurden nicht mehr gehandelt, sondern zentral zuge-
teilt, Arbeiter erhielten kein Geld mehr als Lohn, sondern
Agrarprodukte, die Regierung behandelte sie wie Soldaten,
die auf zentrale Anweisung dorthin geschickt wurden, wo
man sie gerade brauchte. Die Folgen dieses »Kriegskommu-
nismus« für die russische Wirtschaft waren so verheerend,
dass Lenin im Jahr 1921 das Experiment erst einmal abbrach
und die so genannte »Neue Ökonomische Politik« verkündete: Märkte wurden wieder zugelassen, Bauern und Handwerker erhielten begrenzte wirtschaftliche Freiheit zurück,
solange sie nur die politische Diktatur der Kommunistischen Partei akzeptierten.

Aber Lenins Neue Ökonomische Politik widersprach der
kommunistischen Theorie, außerdem hatten die Angehörigen der neuen Herrscherschicht in der Partei Angst um
ihre Macht. Lenins Nachfolger Josef Stalin entfachte zunächst eine Terrorkampagne zur Vernichtung der selbst-
ständigen Bauern (»Kulaken«) und zwang sie in staatlich
gelenkte Genossenschaften (»Kolchosen«). Viele Bauern
wehrten sich und kamen vor Erschießungskommandos,
insgesamt 1,8 Millionen Menschen wurden im Zuge der
»Entkulakisierung« deportiert, vor allem nach Sibirien. Das

Ergebnis dieser Politik war eine große Hungersnot, die nach heutigen Erkenntnissen 6 Millionen Opfer forderte.

Im Jahr 1928 verkündete Stalin den ersten Fünfjahresplan der Sowjetunion, wie sich Russland jetzt nannte. Über die gesamte Wirtschaft setzten die Kommunisten eine Planbehörde, die allen Betrieben genau vorschrieb, was sie zu tun hatten. Obwohl die Zahlen und Pläne oft groteske Fehleinschätzungen enthielten, gelang es Stalin, im unterentwickelten Russland eine Stahlindustrie aufzubauen, Staudämme zu errichten und das Land zu elektrifizieren. Dazu trug die allgemeine Angst in Russland bei, aber auch die Begeisterung junger Kommunisten, die glaubten, der Terror sei nur ein Übergangsproblem, ehe die goldenen Zeiten des wahren Kommunismus begannen. Im Vergleich zu den westlichen Ländern, die noch immer unter den Folgen der Weltwirtschaftskrise litten, wuchs die sowjetische Planwirtschaft erstaunlich schnell. Das hob das Ansehen Stalins und des kommunistischen Modells auch außerhalb der russischen Grenzen. Im Bündnis mit den Vereinigten Staaten, Großbritannien und Frankreich besiegte die Sowjetunion im Zweiten Weltkrieg Nazideutschland. Nach 1945 zwang sie ihr Wirtschaftssystem auch dem Osten Europas auf, die chinesischen Kommunisten kopierten es 1949 nach ihrem Sieg in einem Bürgerkrieg. In Ostdeutschland gab es zwischen 1949 und 1989 die DDR, einen sozialistischen deutschen Staat unter sowjetischer Oberherrschaft. Wer die DDR noch selbst miterlebt hat, kann sich erinnern, dass dort ein ständiger Mangel an allem und jedem herrschte. Es gab unzählige Witze über diese Mangelwirtschaft: Kommt ein Mann in das Centrum-Warenhaus am Alexanderplatz in Berlin. »Gibt es hier Unterhosen?«, fragt er die Verkäuferin. »Nein«, antwortet diese, »hier gibt es keine Hemden. Keine

Unterhosen gibt es eine Etage höher.« Als der Terror und die nackte Angst der Anfangsjahre vorbei waren, waren die Menschen in Ostberlin, Rostock, Leipzig oder Dresden zwar materiell viel schlechter gestellt als die im Westen, sie konnten sich aber immerhin einigermaßen sicher und versorgt fühlen, solange sie nicht gegen die Parteidiktatur aufbegehrten. Die Grundeinstellung in der sozialistischen Planwirtschaft formulierte ein polnischer Arbeiter einmal so: »Die Kommunisten tun so, als ob sie uns bezahlen, wir tun so, als ob wir arbeiten.«

Für die meisten Ökonomen war das Scheitern des Sozialismus keine Überraschung, erstaunlich war eigentlich nur, dass es so lange dauerte, bis er zusammenbrach. Die sozialistische Planwirtschaft konnte die Leute nicht dazu motivieren, mit vollem Einsatz zu arbeiten. Wenn eine Planbehörde vorschreibt, was zu tun ist, und wenn kein anständiger Lohn gezahlt wird, warum sollte sich dann jemand anstrengen? Außerdem war die Planbehörde weit entfernt von der Alltagswirklichkeit und grundsätzlich schlecht informiert. Die Leiter der sozialistischen Betriebe hatten ein Interesse daran, die Zentrale anzulügen. Wenn ein Direktor zu niedrige Angaben machte über seine Vorräte und die Möglichkeiten seiner Maschinen, dann erwartete die Planbehörde auch weniger Endprodukte von ihm. Das erleichterte sein eigenes Leben und das seiner Arbeiter. Sie mussten sich nicht so anstrengen und konnten Produkte für den privaten Bedarf abzweigen. Alle wirtschaftlich wichtigen Informationen, über den Bau einer Maschine etwa, über Produktionsabläufe oder über die Vorlieben der Verbraucher sind in jeder Wirtschaft auf unzählig viele Menschen verteilt, so dass ein Planbeamter sie auch beim besten Willen nicht sammeln kann. In einer Marktwirtschaft stecken alle diese Informationen in den Preisen und man kann sich als Unternehmer danach richten. Wenn die Frauen keine grünen Blusen mehr wollen, sondern nur noch rote, dann bleiben die grünen liegen und die Boutiquen versuchen sie zu Schleuderpreisen loszuwerden. Deshalb werden in den Textilfabriken auch keine grünen mehr bestellt, sondern rote, und die Leiter dieser Fabriken wissen, was sie zu tun haben. Werden die Preise jedoch von einer Planbehörde festgesetzt, dann enthalten sie derartige Informationen nicht; niemand erfährt aus ihnen, wie er sich zu verhalten hat.

Der Sozialismus ging unter, als sich im Laufe der 80er Jahre des 20. Jahrhunderts die Technologie im Westen immer schneller veränderte, als die Computer aufkamen und die Arbeitsteilung sich intensivierte. Die Sowjetunion und ihre Verbündeten konnten dieses Tempo nicht mehr mithalten. Die Wirtschaft in den Ländern des so genannten Ostblocks verrottete, die Menschen versuchten sich in den Westen abzusetzen. Als der letzte Generalsekretär der Kommunistischen Partei der Sowjetunion, *Michail Gorbatschow,* klarmachte, dass er den Sozialismus nicht mehr mit Waffengewalt zusammenhalten wollte, war dessen Ende besiegelt. Am 9. November 1989 wurde die Mauer geöffnet, die bis dahin Ost- und Westberlin geteilt hatte, nur ein Dreivierteljahr später, am 3. Oktober 1990, hörte die DDR auf zu bestehen. Deren Vereinigung mit der Bundesrepublik wird heute in Deutschland als Nationalfeiertag begangen.

Der Wettbewerb

Ludwig Erhard und die soziale Marktwirtschaft

Dass die Marktwirtschaft dem Sozialismus überlegen ist, glaubten 1945 in Deutschland die wenigsten. Der Zweite Weltkrieg war zu Ende. Deutschland hatte unabsehbare Schuld und Schande auf sich geladen. Das Land war besiegt und besetzt, die Städte lagen in Trümmern. Die Siegermächte USA, Großbritannien, Frankreich und die Sowjetunion hatten das frühere Deutsche Reich in Besatzungszonen aufgeteilt. Wer die Zonengrenzen überqueren wollte, um etwa von Hamburg nach Stuttgart zu kommen, brauchte besondere Passierscheine. Die Wirtschaft lag am Boden, die Menschen hungerten und froren, die Geschäfte waren leer, und wer etwas mehr als das Allernötigste haben wollte, der musste auf dem verbotenen Schwarzmarkt einkaufen, sein Tafelsilber bei Bauern gegen Fleisch eintauschen oder sogar stehlen. Wie war da an einen Wiederaufbau zu denken, wenn er nicht von einem starken Staat gelenkt wurde? Zumal die sowjetischen Besatzungsbehörden im Osten bereits mit der Enteignung von Industriebetrieben und landwirtschaftlichen Gütern begonnen hatten – der Voraussetzung für den Sozialismus.

Diesem Ruf nach einer Staatswirtschaft widersprachen einige Ökonomen heftig. Aus der Katastrophe Deutschlands zogen sie genau den gegenteiligen Schluss: Deutschland musste zu einer echten Marktwirtschaft werden und der Staat hatte sich auf dieses Ziel zu konzentrieren. Er sollte sich nicht mehr in die Wirtschaft einmischen, sondern nur verhindern, dass einzelne Unternehmer wie in Deutschland vor 1933 Monopole und Kartelle errichteten und so die

Macht auf ihren Märkten übernahmen. Der Staat hatte also dafür zu sorgen, dass die Unternehmer immer im *Wettbewerb* untereinander standen. Außerdem sollte er verhindern, dass jemals wieder eine Inflation wie 1923 das Land zerstörte, er sollte den *Geldwert* sichern. Die wichtigsten dieser *ordoliberalen* Ökonomen waren *Walter Eucken* (1891 – 1950), *Wilhelm Röpke* (1899 – 1966) und *Leonhard Miksch* (1901 – 1950).

Von den Ordoliberalen beeinflusst war auch ein bislang völlig unbekannter Wirtschaftsprofessor aus Fürth mit Namen *Ludwig Erhard* (1897 – 1977). Nach 1945 war Erhard zunächst ein paar Monate Wirtschaftsminister in Bayern, ohne sich dabei mit größeren Erfolgen hervorgetan zu haben. Dann aber machten ihn die Briten und Amerikaner zum Wirtschaftsdirektor ihrer gemeinsamen Zonenverwaltung. Sie beauftragten ihn mit der Vorbereitung eines wichtigen Projektes, der *Währungsreform* in den westlichen Besatzungszonen Deutschlands. Diese Reform war dringend nötig, denn die Nazis hatten die alte Reichsmark durch ihre Kriegspolitik ruiniert: Es war immer mehr Geld in den Umlauf gekommen, dem keine Waren mehr gegenüberstanden. Das alte Geld musste also aus dem Verkehr gezogen und durch neues ersetzt werden: die D-Mark. Schulden und Sparguthaben wurden auf einen Bruchteil ihres Wertes zusammengestrichen. Alle Bürger der westlichen Besatzungszonen und Westberlins bekamen für den Start ein Kopfgeld von 40 D-Mark.

Das alles geschah am 20. Juni 1948. Als die Westdeutschen am Morgen des 21. Juni, dem ersten Geltungstag des neuen Geldes, aufwachten, trauten sie ihren Augen nicht. Die Geschäfte, in denen am Abend zuvor gähnende Leere geherrscht hatte, waren plötzlich voll. Es gab alles, was man jahrelang vermisst hatte: Schinken, Schuhe, gutes Mehl, Anzüge, Kleider, Strümpfe. Der Grund für dieses Wunder war die neue D-Mark. Das Geld war wieder etwas wert, also ließen sich auch wieder Geschäfte machen.

Dass sich die Regale so wundersam gefüllt hatten, lag aber nicht nur an dem neuen Geld. Erhard war zu der Überzeugung gekommen, dass Deutschland sich nur erholen konnte, wenn es möglichst schnell auf alle Methoden der Plan-, Zwangs- und Kriegswirtschaft verzichtete. Deshalb setzte er am Tage der Währungsreform fast alle Vorschriften über die staatliche Zuteilung von Nahrungsmitteln und Energie außer Kraft und hob die meisten Preisvorschriften auf. Deutschland sollte nicht durch Planung, sondern durch Wettbewerb wieder aufgebaut werden. Hiermit überschritt Erhard seine Kompetenzen bei weitem. Als ihn der amerikanische General Lucius Clay deshalb zur Rede stellte und fragte, wie er dazu komme, einfach Vorschriften zu ändern, sagte er, der Überlieferung nach, den legendären Satz: »Ent-

schuldigen Sie, ich habe die Vorschriften nicht geändert. Ich habe sie abgeschafft.« Für viele Deutsche ist bis heute der Wiederaufstieg ihres Landes nach dem Zweiten Weltkrieg untrennbar mit dem Namen Ludwig Erhard verbunden.

Im Grunde baute Erhard nur auf die Aussagen, die Adam Smith fast 200 Jahre zuvor in seinem Buch vom *»Wohlstand der Nationen«* gemacht hatte: Der freie Wettbewerb sorgt mit »unsichtbarer Hand« dafür, dass das Gewinnstreben der Einzelnen letztlich der ganzen Gesellschaft nützt. Für die Zeitgenossen Erhards war dies zunächst nicht einzusehen: Viele zwielichtige Gestalten, die mit Schwarzmarktgeschäften reich geworden waren, nutzten die neue Zeit für ihre Zwecke, die Preise stiegen, viele Deutsche hatten wieder Angst um ihre Zukunft. Am 12. November 1948 riefen die Gewerkschaften den Generalstreik aus: In ganz Westdeutschland legten die Arbeiter aus Protest gegen Erhards Politik die Arbeit nieder. Aber der blieb in seiner Politik standhaft. 1949 wurde im Westen des ehemaligen Deutschen Reiches die Bundesrepublik Deutschland gegründet und der erste Deutsche Bundestag gewählt. Der Wirtschaftsminister der ersten Bundesregierung in Bonn wurde Ludwig Erhard.

Er setzte seine Vorstellung von der richtigen Wirtschaftsordnung durch. Bald nannten sie alle die *soziale Marktwirtschaft.* Es ging schnell aufwärts; man konnte sich etwas leisten: erst ausreichend zu essen, dann Wohnzimmermöbel, Waschmaschinen, Fernseher, Autos und schöne Reisen. Den Westdeutschen erschien dies, wenige Jahre nach dem verlorenen Krieg, einfach wunderbar. Deshalb sprachen sie vom deutschen Wirtschaftswunder. Ludwig Erhard allerdings widersprach immer, wenn von diesem Wirtschaftswunder die Rede war. Für ihn handelte es sich nicht um ein

Wunder – der wachsende Wohlstand war ein Ergebnis des Wettbewerbs, dem sich die junge Bundesrepublik öffnete.

Erhard versuchte, eine unselige Tradition in der deutschen Geschichte zu beenden. Schon gegen Ende des 19. Jahrhunderts hatten Politiker begonnen, Industrie und Landwirtschaft gegen Konkurrenz zu schützen, aus dem Ausland und dem Inland. Sie empfanden Konkurrenz als schädlich und meinten, der Staat müsse fürsorglich die Wirtschaft lenken. Unterstützt wurden die Politiker dabei von mächtigen Interessenverbänden der Industrie und der Landwirtschaft. Unternehmen der Kohle-, der Stahl- und der Chemieindustrie schlossen sich zu Syndikaten und Kartellen zusammen, in denen sie Preise und Produktionsmengen untereinander absprachen und so den Wettbewerb ausschalteten. So wurde bereits 1893 das Rheinisch-Westfälische Kohlensyndikat gegründet, in den 20er Jahren entstand die Industriegruppe Farben (IG Farben), in der alle großen deutschen Chemieunternehmen zusammengefasst waren. Die IG Farben wurde voll in die Kriegs- und Ausbeutungswirtschaft der Nationalsozialisten eingespannt; so unterhielt der Konzern etwa eine Außenstelle im Konzentrationslager Auschwitz.

Wegen solcher Verstrickungen verordneten die Siegermächte der deutschen Wirtschaft nach dem Zweiten Weltkrieg die Rückkehr zum Wettbewerb. Die IG Farben wurde zerschlagen und in die Einzelunternehmen Bayer, Hoechst und BASF aufgelöst. Wirtschaftsminister Ludwig Erhard betrieb die Förderung des Wettbewerbs aus eigener Überzeugung. Im Bundestag setzte er 1957 – gegen den energischen Widerstand von Industrieverbänden – ein Gesetz gegen Wettbewerbsbeschränkungen durch und richtete das

Bundeskartellamt in Berlin (heute in Bonn) ein. Dem Kartellamt wurde das Recht übertragen, den Zusammenschluss von Großunternehmen zu prüfen und gegebenenfalls zu verbieten; Firmen, die Kartelle bilden und ihre Preise absprechen, machen sich seitdem strafbar.

Weltordnung

George Marshall, Bretton Woods und der Sozialstaat

Ludwig Erhard hätte mit seiner Politik keinen solchen Erfolg haben können, wenn die Bundesrepublik auf sich allein gestellt gewesen wäre. Genauer gesagt: Ihren späteren Wohlstand verdankten die Westdeutschen auch einigen Politikern auf Seiten der Siegermächte des Zweiten Weltkriegs, die dafür sorgten, dass nach 1945 nicht die Fehler gemacht wurden, die nach 1918 in die Katastrophe geführt hatten. Einer davon war der amerikanische General *George C. Marshall* (1880 – 1959).

Marshall beriet den amerikanischen Präsidenten Franklin D. Roosevelt und wurde Außenminister der Vereinigten Staaten. Er entwickelte einen Plan für den Wiederaufbau Europas, der später seinen Namen tragen sollte *(Marshall-Plan)*. Die Grundidee: Die USA als einziges Land, das den Krieg ohne größere Zerstörungen überstanden hatte, gaben Finanzhilfen an die europäischen Verbündeten, aber auch an die Besiegten, um zu vermeiden, dass Europa auf Dauer wirtschaftlich am Boden blieb und damit den Amerikanern auf der Tasche lag. Außerdem sollte unbedingt verhindert werden, dass der Kontinent kommunistisch wurde und sich der Sowjetunion anschloss.

Im Jahre 1948 boten die Vereinigten Staaten allen Europäern Hilfe nach diesem Wiederaufbauplan an. Insgesamt lieferten die Amerikaner Güter im Wert von 13 Milliarden Dollar nach Europa; die Bundesrepublik und Westberlin erhielten 1,7 Milliarden Dollar, und zwar in Form zinsgünstiger Kredite, mit denen die Westdeutschen dringend benötigte Waren im Ausland kaufen konnten.

Der Marshall-Plan war nur *ein* Beispiel dafür, dass nach dem Zweiten Weltkrieg die Wirtschaftsbeziehungen zwischen den Staaten grundlegend neu geordnet wurden. Zu diesem Zweck entstanden einige internationale Finanz- und Wirtschaftsinstitutionen. Schon 1944, noch während des Krieges, hatten die Alliierten in einem kleinen Kurort namens Bretton Woods im amerikanischen Bundesstaat New Hampshire eine neue Währungsordnung für die Welt beschlossen. Nie wieder sollte die Weltwirtschaft dadurch gefährdet werden, dass Staaten ihren Zahlungsverpflichtungen nicht mehr nachkamen und sich aus der internationalen Arbeitsteilung ausklinkten. Deshalb vereinbarte die Konferenz, dass alle Währungen zu einem festen Wechselkurs an den Dollar gebunden sein sollten. Die amerikanische Regierung verpflichtete sich, zu jeder Zeit Dollar in Gold umzutauschen. Für die Organisation dieses Systems wurde eine eigene Institution gegründet, der Internationale Währungsfonds (IWF); er war gedacht als eine Art Versicherung für Staaten, die in Zahlungsschwierigkeiten gerieten.

Zusätzlich wurde die Internationale Bank für Wiederaufbau und Entwicklung (»Weltbank«) ins Leben gerufen. Sie finanzierte zunächst den Wiederaufbau in Europa, später in den Entwicklungsländern Asiens, Afrikas und Südamerikas.

Das Konzept für diese Institutionen stammte von dem amerikanischen Staatssekretär Harry D. White und von John Maynard Keynes. Wenn ein Land seine Schulden im Ausland nicht mehr bezahlen konnte, dann musste es nicht mehr seine Währung zerstören oder Bankrott anmelden, sondern konnte den IWF um Hilfe anrufen, der ihm dann gegen bestimmte Auflagen Hilfe gewährte. Viele Staaten haben davon seither Gebrauch gemacht.

Die Staaten sollten ihre Wirtschaft auch nicht mehr durch hohe Zölle und Einfuhrverbote schützen müssen. Deshalb beschloss die Staatengemeinschaft 1948 eine Reihe von Verträgen, in denen verbindliche Regeln für den Welthandel festgelegt wurden: das *Allgemeine Zoll- und Handelsabkommen (GATT)*, für dessen Verwaltung ein eigenes Sekretariat in Genf zuständig war. Nach den Regeln des GATT war es den Mitgliedsstaaten verboten, ein anderes Land durch besonders hohe Zölle zu bestrafen oder durch niedrige zu belohnen: Alle GATT-Mitglieder mussten gleich behandelt werden; Zölle durften Regierungen zwar erheben, aber nicht erhöhen; ausländische Waren mussten, wenn sie einmal im Land waren, genauso wie inländische behandelt werden. Dank dieser Regeln nahm der Welthandel nach 1948 schnell zu. Die Bundesrepublik war eines der Länder, die am meisten von der Öffnung der Grenzen profitierten.

Im zerstörten Europa begannen Sieger und Besiegte einen Traum zu verwirklichen, den schon viele weitsichtige Menschen nach dem Ersten Weltkrieg geträumt hatten: die politische Einigung des Kontinents. Bereits 1950 verabredeten die Staaten Westeuropas ein System, um die Bezahlungen für Ein- und Ausfuhren leichter abrechnen zu können, die Europäische Zahlungsunion. 1956 gründeten die Bundesrepublik, Frankreich, die Niederlande, Belgien, Luxemburg und Italien in Rom die *Europäische Wirtschaftsgemeinschaft (EWG)*, die Vorläuferorganisation für die EU.

Im Ergebnis sorgten die Reformen nach dem Zweiten Weltkrieg dafür, dass die Menschen in Europa, den Vereinigten Staaten und Japan einen beispiellosen Wohlstand erreichten. In den meisten Staaten Westeuropas war um das Jahr 1970 das Problem der Arbeitslosigkeit praktisch verschwunden. Im Gegenteil: Es fehlten Arbeitskräfte, daher wurden Arbeitnehmer aus ärmeren Gegenden angeworben, so genannte Gastarbeiter. In der Bundesrepublik waren dies besonders Italiener, Spanier, Jugoslawen und Türken.

Volksheim

Der Aufstieg und die Krise des Wohlfahrtsstaats

Es war die schwärzeste Zeit Europas. Hitlers Truppen besetzten ein Land nach dem anderen: Polen, Norwegen, Holland, Frankreich. Viele Demokraten hielten den Nationalsozialismus damals im Mai 1940 für unbesiegbar, sie fürchteten, dass die Zukunft der Diktatur und dem Fanatismus gehören würde. Irgendwo zwischen Aachen und Brüssel beobachtete William Shirer, ein junger amerikanischer Rundfunkjournalist, die Truppen der deutschen Wehrmacht, die gerade dabei waren, in das neutrale Belgien einzufallen. Dabei fiel ihm auf, wie vergleichsweise gesund und wohlgenährt die deutschen Soldaten aussahen. *»Man sah den Unterschied«*, so schrieb er viele Jahre später in einem berühmten Buch (»Aufstieg und Fall des Dritten Reichs«), *»den Unterschied zwischen den deutschen Soldaten einerseits, braun gebrannt und gut gebaut als Resultat einer Jugend, die sie im Freien und bei guter Ernährung verbracht haben, und den ersten britischen Kriegsgefangenen andererseits mit ihren eingefallenen Brustkörben, ihren runden Schultern, bleichen Gesichtszügen und schlechten Zähnen – tragische Angehörige einer jungen Generation, die England zwischen den Kriegen auf unverantwortliche Weise vernachlässigt hat.«*
Natürlich wollte Shirer damit nicht die Politik der Nazis loben, den Arbeitsdienst, den militärischen Drill bei der Hitlerjugend. Seine Botschaft war eine andere: Der Nationalsozialismus konnte auch deshalb so stark werden, weil die Diktatur einfache Menschen mit einbezogen hat. Wenn umgekehrt die Demokratien arme Menschen vernachlässi-

gen, dann wenden sie sich ab und sind nicht mehr in der Lage, die Freiheit zu verteidigen. Und: Der Staat trägt Verantwortung dafür, dass es jungen Menschen nicht so schlecht geht wie den ausgemergelten englischen Soldaten, die Shirer auf ihrem Weg in die Gefangenschaft beobachtet hat.

Erfahrungen wie diese haben dazu beigetragen, dass die Regierungen in fast allen westeuropäischen Ländern, aber auch in den Vereinigten Staaten, nach dem Zweiten Weltkrieg viel mehr Geld ausgaben, um Menschen vor Not zu schützen und ihnen ein sicheres Leben zu garantieren. Die Länder wurden zu *Sozial-* oder *Wohlfahrtsstaaten.*

Auch in früheren Zeiten gab es Fürsorge für die Armen – schon als Konsequenz aus dem christlichen Gebot der Nächstenliebe. Seit Jahrhunderten wurde am 11. November des heiligen Martins gedacht, der mit dem Schwert seinen Mantel zerteilte und eine Hälfte einem frierenden Bettler gab – ein Leitbild für viele. Gleichzeitig hatten die Reichen und Mächtigen ein lebhaftes Eigeninteresse daran, zu verhindern, dass die Armen aus purer Not rebellisch wurden und Unruhen ausbrachen. Hunger und Elend waren schließlich in der Geschichte immer wieder Auslöser von Revolten und Revolutionen gewesen. Vor der industriellen Revolution waren es Kirchenmänner, Klöster und vermögende Privatleute, die die Aufgabe der Armenpflege übernahmen. *Jakob Fugger der Reiche* gründete 1516 in Augsburg die erste Sozialsiedlung der Welt, die »Fuggerei«. Wer unverschuldet in Not geriet, katholisch und in Augsburg geboren war, konnte dort für einen Gulden im Jahr in einer der 147 Wohnungen leben. Die Fuggerei gibt es bis heute und sie wird noch zu demselben Zweck genutzt wie zu Fug-

gers Zeiten. Die Miete beträgt heute ganze 88 Cent im Jahr plus Nebenkosten.

Der erste Staat, in dem sich die Regierung massiv um die Sozialfürsorge kümmerte, war aber keine der modernen Demokratien wie Großbritannien oder Frankreich, es war das autoritär geführte Deutsche Reich am Ende des 19. Jahrhunderts. Worum es dem damaligen Reichskanzler *Otto von Bismarck* ging, merkt man an der Folge der Ereignisse: Erst verbot die Reichsregierung 1878 die Sozialdemokratische Partei und die sozialistischen Gewerkschaften, dann erst begann die Arbeit an Sozialgesetzen, die die Arbeiter mit ihrem harten Los versöhnen sollten. Bismarck und Kaiser Wilhelm I. wollten vor allem eines: Ruhe im Land. 1883 beschloss der Reichstag ein Krankenversicherungsgesetz für die Arbeiter, 1884 eine Unfallversicherung und 1889 eine Alters- und Invalidenversicherung. Der Beitrag lag bei einem Prozent des Lohnes und musste gemeinsam vom Arbeiter und seinem Arbeitgeber aufgebracht werden. Renten gab es erst vom 70. Lebensjahr an, wobei die meisten Arbeiter gar nicht so alt wurden; die Rente bei Arbeitsunfähigkeit deckte noch nicht einmal das Existenzminimum. Die Leistungen waren also nach heutigen Maßstäben sehr bescheiden, trotzdem bedeuteten sie für die Arbeiter einen großen Fortschritt.

Andere Industrieländer zogen in der *Sozialpolitik* nach. Der eigentliche Ausbau des Sozialstaats begann aber nach dem Zweiten Weltkrieg. Die Politiker wollten damit die Lehre ziehen aus den Katastrophen in der ersten Hälfte des 20. Jahrhunderts: Weltwirtschaftskrise, Nationalsozialismus, Kommunismus, zwei Kriege. Zwischen 1950 und 1983 stieg der Anteil der Ausgaben für soziale Sicherheit an der gesamten Wirtschaftsleistung Westeuropas von 9 auf 25 Prozent; die Bundesrepublik Deutschland erreichte in diesem Zeitraum einen Anteil von 24 Prozent. Dort war 1957 ein Rentengesetz in Kraft getreten, nach dem die Bezüge der Ruheständler immer genauso schnell stiegen wie die Bruttolöhne der Arbeitnehmer, also sogar noch schneller als die Summe, die die aktiv Beschäftigten nach Abzug von Steuern und Abgaben netto in ihrer Lohntüte mit nach Hause nehmen konnten.

Noch wichtiger für die Entwicklung des Sozialstaats war aber ein Land, das am Rande Europas liegt und trotzdem über viele Jahre zum Vorbild für den Kontinent wurde: Schweden. Das skandinavische Königreich war bis zur Mitte des 19. Jahrhunderts ein rückständiges Agrarland, das vor allem deshalb auffiel, weil viele seiner Bürger den Verhältnissen zu Hause durch Auswanderung nach Amerika entflohen und weil unter den Verbliebenen der Alkoholismus grassierte. In der Mitte des 19. Jahrhunderts jedoch begann sich Schweden nach und nach zu modernisieren.

Überholte Gesetze wurden abgeschafft, Unternehmer nutzten die natürlichen Rohstoffe des Landes, besonders Holz und Eisenerz, um eine wachsende Exportwirtschaft aufzubauen. Berühmt wurde der schwedische Chemiker *Alfred Nobel* (1833 – 1896), der 1867 das Dynamit erfand und später den Nobelpreis für besondere wissenschaftliche Leistungen und Verdienste um den Frieden stiftete. Die Regierung in Stockholm beschloss erste Sozialreformen.

Im Jahre 1932 gewannen die schwedischen Sozialdemokraten die Wahlen und stellten die Regierung. Die Partei war im Vergleich zu anderen sozialistischen Parteien eher gemäßigt, sie hatte nie die Absicht, die Fabriken und Banken in Schweden zu enteignen. Umso konsequenter bauten dieSozialdemokraten das Land zu einem umfassenden Wohlfahrtsstaat aus. Bahnbrechend waren dabei die Einführung einer *Grundrente* für alle Bürger und ein allgemeines Kindergeld – beides wurde 1947 Gesetz unter dem legendären Ministerpräsidenten *Tage Erlander* (1901 – 1985), der 23 Jahre lang in Stockholm regierte. In Schweden ging es nicht mehr darum, nur den in Not Geratenen zu helfen oder eine Versicherung für Notfälle zu schaffen; alle Bürger sollten von der Geburt bis zum Tode umfassend umsorgt werden. Für das schwedische Gesellschaftsmodell bürgerte sich der Begriff *Volksheim* ein. Der Anteil der Sozialausgaben an der gesamten Wirtschaftsleistung stieg hier auf 33 Prozent – den höchsten Wert in ganz Europa.

Viele Länder eiferten dem Beispiel des schwedischen Volksheims nach. Die Reformer glaubten in den 60er Jahren des 20. Jahrhunderts, sie hätten einen *Dritten Weg* gefunden: Sie wollten die Effizienz des Kapitalismus nutzen, ohne Arbeitslosigkeit, krasse Unterschiede zwischen Arm und Reich und andere Härten in Kauf nehmen zu müssen.

Doch schon in den 70er Jahren zeigte sich, dass diese Hoffnung auf einer Illusion beruhte. Der Wohlfahrtsstaat begann zur Last für die europäischen Volkswirtschaften zu werden, zu einer Last, die sie zu erdrücken drohte. Was viele Reformer anfangs nicht bedachten, war die einfache Tatsache, dass das Geld, das die Regierungen für Renten, Kindergeld oder Sozialhilfe ausgaben, von irgendjemandem aufgebracht werden musste. Und das konnten nicht nur die ganz Reichen sein, denn dazu war deren Zahl zu klein.

Finanziert wurde der Sozialstaat hauptsächlich von der breiten Masse der durchschnittlich verdienenden Menschen. Der Anteil, den sie von ihrem Einkommen an den Staat abführen mussten, stieg, je mehr soziale Errungenschaften die Regierung beschloss. Die Gewerkschaften verlangten von den Unternehmern höhere Löhne, aber nur einen Teil bekamen die Arbeiter und Angestellten ausbezahlt, der größere Teil wurde in Form von Steuern oder Sozialabgaben abgezogen. Dadurch wurde es teurer, neue Arbeitsplätze zu schaffen; die Arbeitslosigkeit stieg. Gleichzeitig wurde der Unterschied zwischen Arbeit und Nicht-Arbeit geringer. Warum soll ich mich anstrengen, fragte sich manch einer, wenn ich durch Nichtstun fast genauso viel Geld vom Staat bekomme, wie ich durch harte Arbeit verdienen würde? So dachte sicher immer nur eine Minderheit, aber es waren doch so viele Menschen, dass die meisten einen von ihnen kannten. Das reichte, um den Ärger der Arbeitenden zu schüren und die Idee des Sozialstaats in Verruf zu bringen. Auf jeden Fall senkten hohe Steuern und Abgaben einerseits und soziale Wohltaten andererseits den Anreiz, etwas zu leisten.

Und dann hatte der Sozialstaat noch einen Nachteil, der nicht so einfach zu fassen war. All die Fürsorge des Staates bevormundete die Menschen, wenn auch auf sehr sanfte, fast unmerkliche Art. Die Regierung nahm ihnen zwar viele materielle Sorgen ab, aber auch einen Teil der Verantwortung für das eigene Leben. In einem gewissen Sinne wurden die Empfänger der Leistungen des Sozialstaats wie kleine Kinder behandelt. Sozialarbeiter verstanden sich oft als »Sozialingenieure«, die die Gesellschaft steuerten wie eine Maschine, natürlich immer in bester Absicht. Und sie glaubten, besser zu wissen, was für die Menschen gut war, als diese selbst. Der schwedische Schriftsteller Per Wahlöö hat das Problem in dem Kriminalroman *»Stahlsprung«* thematisiert. Darin versucht eine Regierung, mit kriminellen Methoden, vor allem mit Drogen, die Bürger zu einheitlichem, normiertem Verhalten zu bewegen. Das ganze Land ist von einer drückenden Stimmung der Unfreiheit und der Angst geprägt, ohne dass es dazu eines Diktators bedurft hätte.

Wegen der hohen Kosten des Sozialstaats verloren die Volkswirtschaften ihre Fähigkeit, auf Krisen zu reagieren. Das zeigte sich, als im Herbst 1973 die Ölpreise explodierten. Überall in Westeuropa und Nordamerika ging damals die Beschäftigung zurück; das Gespenst der Massenarbeitslosigkeit, das nach dem Zweiten Weltkrieg schon gebannt schien, kehrte mit Macht zurück. Alle Wohlfahrtsstaaten sahen sich nach und nach zu harten und für die Betroffenen sehr schmerzhaften Kürzungen ihrer Sozialleistungen gezwungen. In Großbritannien kam 1979 die konservative Politikerin *Margaret Thatcher* an die Regierung, die den Sozialstaat zurückstutzte, die Macht der Gewerkschaften brach und Staatsbetriebe privatisierte. In Neuseeland begannen die Reformen in den 80er Jahren, in den skandinavischen Ländern nach 1990 und in Deutschland erst im neuen

Jahrtausend. Überall zeigt sich: Einen perfekten Weg, wie man einerseits die Menschen vor Not schützen und gleichzeitig die Leistungsfähigkeit der Wirtschaft erhalten kann, gibt es nicht.

Management

Die Kunst, ein Unternehmen zu führen

Marvin Bower war gerade 27 Jahre alt, als er sich 1930 einer Anwaltskanzlei in Cleveland im amerikanischen Bundesstaat Ohio anschloss. Das Spezialgebiet der Anwälte war es, Firmen abzuwickeln, die in der Weltwirtschaftskrise ihren Bankrott erklären mussten. Insgesamt elf solcher Firmen hatte Bower zu betreuen. Darunter war die legendäre Studebaker Company, ein Familienunternehmen, das im 19. Jahrhundert mit dem Bau von Pferdewagen groß geworden war, später in die Autofertigung einstieg und dabei besonders schöne und technisch ausgefeilte Limousinen auf den Markt brachte. Marvin Bower saß in den Gläubigerausschüssen der bankrotten Firmen; in denen hatten sich all jene Unternehmen und Einzelpersonen zusammengeschlossen, denen die jeweilige Firma noch Geld schuldete. Ziel der Ausschüsse war es, möglichst viel von diesem Geld zu retten – entweder dadurch, dass die verbliebenen Maschinen, Vorräte und Grundstücke versteigert wurden (das war der schlechteste Fall), oder dadurch, dass man die ganze Firma rettete, was im Falle von Studebaker gelungen ist.

Bei der Arbeit mit den gescheiterten Firmen wuchs in Bower eine überraschende Erkenntnis: Zehn der elf Firmen hätten trotz Weltwirtschaftskrise gar nicht scheitern müssen, wenn die Chefs nicht gravierende Fehler begangen hätten. Und diese Fehler unterliefen ihnen nicht deshalb, weil sie dumm gewesen wären, sondern weil sie nicht wussten, was in ihrer Firma wirklich vorging. Schuld an diesem Mangel an Informationen war die Hierarchie: In den Unternehmen herrschte damals genauso das Prinzip von Befehl und

Gehorsam wie in Behörden oder beim Militär. »*Die An-gestellten haben sich einfach nicht getraut, dem Boss zu erzählen, was wirklich vor sich ging*«, beschrieb eine Mitar-beiterin Bowers später den Zusammenhang. Allgemeiner gesprochen: Die Existenz eines Unternehmens und damit Tausende Arbeitsplätze hingen unter Umständen davon ab, ob der Chef die Kunst beherrschte, das Unternehmen zu führen, ob er seine Mitarbeiter anhörte, ob er Probleme rechtzeitig erkannte und dann schnell die richtigen Ent-scheidungen traf. Während der Weltwirtschaftskrise wäre es zum Beispiel darum gegangen, die Kosten der Produk-tion so weit zu senken, dass Waren auch dann verkauft wer-den, wenn die Kunden wenig Geld verdienen.

Einen Betrieb zu führen heißt auf Englisch *to manage*, was wiederum aus dem italienischen Wort *maneggiare* (handha-ben) kommt. Der Chef des Unternehmens ist demnach ein *Manager,* seine Tätigkeit ist das *Management* – Begriffe, die heute längst in die deutsche Sprache eingegangen sind.

Möglicherweise hätte Bower seine Erkenntnis auf sich beruhen lassen, hätten sich die Geschäfte in seiner Kanzlei nicht so schlecht entwickelt, dass die Gehälter aller Mitar-beiter um 25 Prozent gekürzt werden mussten. Bower, der gerade eine Familie gegründet hatte, fürchtete, dass ihm das Geld nicht für Frau und Kinder reichen würde. Zum Glück hatte er kurz vorher einen Wirtschaftsprüfer aus Chicago getroffen, der ihm einen Job zu seinem alten Gehalt bot. Der Mann hieß *James O. McKinsey* und versuchte als Spe-zialist für Buchführung, Unternehmen so rechtzeitig und so gut zu beraten, dass es gar nicht erst zur Krise kam, aus der sie dann gerettet werden mussten. Nachdem McKinsey im Alter von nur 48 Jahren gestorben war, kaufte Bower mit drei Partnern dessen Firma und nannte sie McKinsey & Co.

In den folgenden Jahren baute Bower auf Grund seiner Erfahrungen aus der großen Krise nicht nur eine erfolgreiche Firma auf, er erfand auch einen neuen Beruf, den des Unternehmensberaters. Berater werden von Firmen für bestimmte Projekte angeheuert, um eine Krise abzuwenden, das Geschäft insgesamt rentabler zu machen oder ein neues Geschäft zu entwickeln. Heute ist McKinsey nur noch eine unter unzähligen Beratungsfirmen, allerdings immer noch die größte der Welt mit 6200 Beratern, 400 Kunden und Niederlassungen rund um den Globus. Gleichzeitig ist McKinsey auch sehr umstritten. Wenn Berater vorschlagen, die Kosten zu senken, führt dies häufig dazu, dass Angestellte und Arbeiter ihren Arbeitsplatz verlieren. Deshalb gilt McKinsey vielen als Sinnbild für eine besonders harte Seite des Kapitalismus. Außerdem sind natürlich auch Firmen gescheitert, obwohl sie vorher von McKinsey beraten wurden. Die Berater müssen daher auch immer wieder kritische Fragen nach dem Sinn ihrer Tätigkeit beantworten.

In seiner eigentlichen Bedeutung meint das Wort »Manager« die Männer und Frauen, die an den Schalthebeln der Macht in der Wirtschaft sitzen, die Vorstände der großen Aktiengesellschaften. Die Gründer der großen Industrieunternehmen waren oft wagemutige und geniale Einzelpersönlichkeiten, die anfangs ihre Firmen selbst führten: Werner von Siemens, Emil Rathenau, Henry Ford, Levi Strauss und andere. Irgendwann jedoch übergaben sie oder ihre Nachkommen die Aufgabe an bezahlte Manager – weil sie niemandem in der Familie die Aufgabe zutrauten, weil sie selbst überfordert waren oder weil sie sich mit anderen Unternehmern zusammentaten und die neuen Gesellschafter Manager ihres Vertrauens haben wollten. In Deutschland gibt es heute keine großen Aktiengesellschaften mehr, die nicht von bezahlten Managern geführt werden.

Manager entscheiden, ob und wo eine neue Fabrik gebaut wird, ob das Unternehmen eine bestimmte Produktionslinie aufgibt oder ob die Firma mit einer anderen zusammengelegt wird. Sie verdienen sehr viel Geld; in Amerika sind Jahresgehälter von 20 Millionen Dollar und mehr nicht ungewöhnlich. Und trotzdem handeln Manager im Auftrag anderer, der tatsächlichen Eigentümer, trotz ihrer Macht sind sie also auch nur Angestellte. Letzteres vergisst mancher Manager gerne, wenn er in einem schicken Büro sitzt, Tausende von Untergebenen hat und mit seiner Unterschrift Millionen von Euro bewegen kann. Besonders in Krisenzeiten geraten Manager wegen ihrer hohen Gehälter in die Kritik.

Überhaupt stellen sich mit der wachsenden Macht (und Verantwortung) des Managements viele komplizierte Fragen: Wie können die Manager den Überblick bewahren über die Riesenfirmen, die sie leiten? Wie kommen sie an die richtigen Informationen? Wie finden sie die Leute mit den besten Ideen? Auch heute soll es noch Unternehmen geben, in denen die Angestellten Angst haben, dem Chef gegenüber ihre Meinung zu äußern – wie zu Marvin Bowers Zeiten. Vor allem aber: Wie können die Eigentümer, also die Aktionäre, die von ihnen beauftragten Manager effektiv kontrollieren?

Mit all diesen Fragen befasst sich mittlerweile eine eigene Wissenschaft, die *Betriebswirtschaftslehre.* In Deutschland hat zu deren Entwicklung besonders *Eugen Schmalenbach* (1873 – 1955) beigetragen, ein Unternehmersohn aus Westfalen, der erst eine kaufmännische Lehre absolvierte, später Volkswirtschaft studierte und schließlich als Professor an der Universität Köln lehrte. Schmalenbach erforschte zum Beispiel, wie eine Bilanz gestaltet werden muss, damit sie dem Management möglichst zuverlässige Informationen über den aktuellen Zustand des Unternehmens liefert. Heute gibt es BWL-Fakultäten an den meisten großen Universitäten in Deutschland. Einer der einflussreichsten Management-Forscher der Gegenwart ist *Peter Drucker.* Er wurde 1909 in Wien geboren, studierte in Frankfurt Jura und emigrierte 1937 in die Vereinigten Staaten. Betriebswirtschaft lehrte er zunächst in New York, später in Claremont, Kalifornien. Drucker befasste sich zum Beispiel immer wieder mit der Frage, wie Unternehmen organisiert sein müssen, um beste Ergebnisse zu erzielen, und wie die Manager mit ihrer Macht umgehen sollen. Einmal schrieb er: *»Obwohl dieses Management über eine beachtliche Autorität verfügen muss, besteht seine Aufgabe in einer modernen Organisation nicht darin, zu befehlen. Sie besteht darin, zu inspirieren.«* Eine Weisheit, die im Alltag immer wieder vergessen wird.

Globalisierung

Vietnam und die Finanzmärkte

Die neue Weltordnung nach dem Zweiten Weltkrieg war für die gut, die daran teilnahmen, aber sie galt eben nur für einen Teil der Welt. Die Sowjetunion, Osteuropa, China und einige andere Länder waren kommunistisch geworden und schlossen sich von der westlichen Welt ab. Ein »eiserner Vorhang«, so sagte man damals, teilte Europa: Nach Westeuropa zu kommen war für Polen, Tschechen und Ostdeutsche fast unmöglich; die Grenze war mit Stacheldraht und Minenfeldern gesichert. Weite Teile Asiens und Afrikas waren 1945 noch französische, britische, niederländische, spanische und portugiesische Kolonien. Diese Länder strebten nach Unabhängigkeit und wählten sich dabei häufig die Feinde ihrer Kolonialherren, die sowjetischen Kommunisten, zu Verbündeten. Indien, als größter Teil des britischen Weltreiches, wurde 1947 unabhängig. Doch es war ein kleines Land, Vietnam, von dem zuvor kaum jemand in Europa Notiz genommen hatte, dessen Entkolonialisierung eine zentrale Bedeutung auch für die Weltwirtschaft bekommen sollte.

Vietnam gehörte zu Indochina, das Frankreich Ende des 19. Jahrhunderts erobert hatte. Während des Zweiten Weltkriegs hatten japanische Truppen, die Verbündeten Nazideutschlands, Vietnam besetzt. Sie wurden vertrieben unter starker Beteiligung einer nationalen Unabhängigkeitsbewegung, der Viet Minh. Als der Krieg vorbei war, wollten die Viet Minh unter ihrem Führer Ho Chi Minh eine unabhängige Republik ausrufen, Frankreich dagegen seine Kolonialherrschaft erneuern. Daraus entstand der erste

Indochina-Krieg, der 1954 mit der Niederlage der französischen Truppen bei dem Ort Dien Bien Phu endete. Vietnam wurde geteilt, im Norden riefen die Viet Minh eine sozialistische Volksrepublik aus, im Süden regierte ein korruptes und autoritäres, aber kapitalistisch orientiertes Regime, das von den Vereinigten Staaten gestützt wurde. Gegen diese Regierung eröffneten kommunistische Guerillas, die teilweise Unterstützung bei der Bevölkerung fanden, einen erbitterten Partisanenkrieg.

Und nun traf der damalige amerikanische Präsident *John F. Kennedy* (1917 – 1963) eine verhängnisvolle Entscheidung: Am 9. Februar 1962 entsandte er ein so genanntes Militärhilfekommando in die südvietnamesische Hauptstadt Saigon. Den Partisanenkrieg konnten die amerikanischen Experten allerdings nicht beenden, deshalb wurden noch mehr Soldaten nach Vietnam geschickt; 1968 waren dort über eine halbe Million junge Amerikaner stationiert. Die US-Luftwaffe versuchte, die Guerillas durch einen gewaltigen Bombenkrieg zu vernichten. Die amerikanischen Flugzeuge warfen dreimal so viele Bomben ab, wie während des gesamten Zweiten Weltkriegs gefallen waren. Aber der ganze Einsatz war vergeblich: Am 30. April 1975 marschierten nordvietnamesische Truppen in Saigon ein; Nord- und Südvietnam wurden unter kommunistischer Herrschaft vereint.

Der Vietnamkrieg veränderte auch die westlichen Länder selbst: deren Gesellschaft und deren Wirtschaft. In Amerika, aber auch in Deutschland demonstrierten junge Leute voller Entsetzen gegen den Bombenkrieg der Amerikaner. Sie lehnten nicht nur den Krieg ab, sondern aus Protest auch die amerikanische Kultur. Gleichzeitig stellten sie Marktwirtschaft und Kapitalismus in Frage. Die Jugend wollte anders leben als die Generation ihrer Eltern, man traf sich auf Musikfestivals, das berühmteste fand 1969 in Woodstock statt, man las wieder die Bücher von Karl Marx. »*Make love, not war*«, hieß eine der Parolen. Einige wenige glaubten sogar, sie müssten mit Maschinengewehren gegen den Kapitalismus kämpfen; sie wurden Terroristen.

Die amerikanische Regierung finanzierte den teuren und unpopulären Krieg auf Pump: Weder Kennedy noch seine Nachfolger *Lyndon B. Johnson* und *Richard Nixon* trauten sich, die Steuern so drastisch zu erhöhen, wie es nötig gewesen wäre, um Soldaten, Flugzeuge und Bomben zu bezahlen, sie holten sich das Geld durch Staatsanleihen. Die Regierung gab mehr Geld aus, als sie hatte, deshalb stiegen notwendigerweise die Preise. Eigentlich hätte in so einer Situation die amerikanische Notenbank die Zinsen erhöhen müssen, um den Geldwert zu sichern. Das tat sie aber nicht, weil sie das Wachstum der Wirtschaft nicht gefährden wollte. Und weil alle anderen Währungen der Welt fest an den Dollar gebunden waren, breitete sich die Inflation über die ganze Welt aus. Die Amerikaner störte das zunächst wenig, schließlich war ihr Dollar der Wertmaßstab für die anderen Nationen. Aber das alte Währungssystem mit seinen festen Wechselkursen war so nicht mehr zu halten. Schließlich musste der amerikanische Präsident Richard Nixon am 15. August 1971 offiziell das Versprechen der USA zurücknehmen, jederzeit Dollar in Gold zu wechseln, womit das System fester Wechselkurse zusammengebrochen war.

Seit 1973 sind die Wechselkurse grundsätzlich frei, Währungen werden gehandelt wie andere Waren, der Preis bildet sich aus Angebot und Nachfrage und schwankt entsprechend. Und weil die Amerikaner zuvor so viel Dollar in Umlauf gebracht hatten, gab es auch genügend Masse, mit der gehandelt werden konnte: Früher erwarben nur Kaufleute oder Reisende Währungen, um ausländische Waren bezahlen zu können, jetzt kauften immer mehr Spekulanten Währungen, um an den Schwankungen der Kurse zu verdienen.

Das Jahr 1973 war aber auch in ideologischer Hinsicht eine Wegscheide. Dass man die Wechselkurse freigeben sollte, hatte zuvor schon ein Ökonom von der Universität Chicago gefordert. Sein Name: *Milton Friedman* (1912 – 2006). Friedman war grundsätzlich davon überzeugt, dass freie Märkte Wirtschaftsprobleme besser lösten als Regierungen. Politiker sollten nicht mehr in den Wirtschaftskreislauf eingreifen, forderte Friedman; nur noch die Notenbanken sollten dafür sorgen, dass die Geldmenge gleichmäßig mit der Wirtschaft wächst. Deshalb nennt man Friedmans Denkansatz *Monetarismus* (lateinisch: *moneta* = Münzen).

Die Zeiten waren günstig für Friedmans Gedanken: Nach einem Krieg zwischen Israel und seinen arabischen Nachbarn im Herbst 1973 explodierten die Ölpreise. Die Organisation der Erdöl exportierenden Länder (OPEC), das Kartell der Öllieferstaaten, drosselte die Produktion und sorgte so für eine Preisexplosion. Die Ölländer wollten damit die Industrieländer zwingen, sich von Israel abzukehren, aber natürlich wollten sie auch ihre Einnahmen erhöhen. Damit verstärkten sie einen ohnehin beginnenden Konjunkturabschwung in Europa und Nordamerika zu einer tiefen Rezession. Den Regierungen gelang es nicht, diesen Abschwung in den Griff zu bekommen; besonders in Europa herrscht seither Massenarbeitslosigkeit.

Die Ölländer ihrerseits hatten plötzlich so viel Geld, dass sie zunächst gar nichts damit anfangen konnten. Sie mussten es irgendwo auf der Welt anlegen, und deshalb gab es Milli-

arden von Dollar, die mit Hilfe von Banken über die Grenzen geleitet werden mussten. Die Märkte für Währungen *(Devisenmärkte)* hatten viel mehr Stoff als früher.

Schritt für Schritt und Land für Land wurde nun der Einfluss des Staates auf die Wirtschaft zurückgedrängt. Zwei Politiker vor allem taten sich dabei hervor und beide waren von den Ideen Milton Friedmans beeinflusst: *Margaret Thatcher,* die 1979 in Großbritannien als Kandidatin der Konservativen Partei zur Premierministerin gewählt wurde, und *Ronald Reagan,* der von 1981 an acht Jahre lang als amerikanischer Präsident regierte. Beide Politiker wollten wieder zu einem reinen Kapitalismus zurückkehren. Sie schränkten die Rechte der Gewerkschaften ein, verkauften Staatseigentum und lockerten die Vorschriften für den Umgang mit Kapital. Diese »Liberalisierung« gab Leuten, die entweder viel Geld hatten oder andere Leute dazu verleiten konnten, ihnen welches zu leihen, ganz neue Möglichkeiten. Es begann das Zeitalter der *Finanzmärkte.*

Heute werden jeden Tag 1,5 Billionen Dollar rund um den Globus geschickt. Spekulanten bekommen dadurch eine große Macht auch über politische Entscheidungen. Zum Beispiel wollte die Bank von England im Jahr 1992 den Kurs des Pfundes zur D-Mark auf einem bestimmten Niveau halten. Viele Währungshändler hielten den Kurs für viel zu hoch und wetteten darauf, dass die britische Regierung nicht durchhalten würde. Dabei wurden Milliarden von Dollar gesetzt. Einer der berühmtesten Spekulanten, George Soros, ein Amerikaner ungarischer Herkunft, verkaufte so viele Pfund, dass die britische Regierung schließlich klein beigeben musste, den Kurs des Pfundes freigab und die Währung abwerten ließ.

Die Welt ist heute praktisch ein einziger Finanzmarkt. Händler können innerhalb weniger Sekunden eine Milliarde Dollar kaufen oder verkaufen, ohne den Stuhl vor ihrem Computer zu verlassen. Aktien deutscher Unternehmen werden an der Börse von New York gehandelt, deutsche Aktiengesellschaften sind zu einem erheblichen Teil im Besitz von ausländischen Fonds, die das Vermögen unzähliger kleiner Aktionäre verwalten. Unternehmer kaufen andere Unternehmen, auch wenn deren Chefs dies gar nicht wollen: Sie leihen sich Geld und kaufen den Aktionären ihre Anteile zu einem erhöhten Preis ab. Die Chefs anderer Unternehmen kommen in Schwierigkeiten, wenn der Aktienkurs nicht hoch genug steigt. Hat ein Unternehmen keinen Erfolg, dann kann der Wert seiner Aktie innerhalb weniger Wochen um die Hälfte oder mehr sinken.

Aber nicht nur für das Geld wurden die Grenzen zwischen den Staaten immer weniger wichtig. Auch der Handel mit Waren konnte schneller wachsen. Die Kosten für den Transport von Waren sanken. Es ist längst kein Problem mehr, im Winter Weintrauben, Erdbeeren oder Kirschen mit dem Flugzeug aus Südafrika oder Chile nach Europa zu bringen. Europäische und amerikanische Unternehmen lassen Hemden in Südostasien schneidern, andere entwickeln Maschinen oder Computer-Software in Europa, Japan, Kalifornien und Indien gleichzeitig. Das Welthandelsabkommen GATT und, seit 1994, die *Welthandelsorganisation* (WTO) haben durch internationale Verträge dazu beigetragen, Zölle und andere Hindernisse für den Handel Schritt für Schritt abzubauen. Kurz: Der Ort, an dem etwas produziert wird, verliert immer mehr an Bedeutung.

Dies bezeichnet man heute als *Globalisierung:* der freie Austausch von Waren und Geld rund um den Globus mit Hilfe internationaler Finanzmärkte. Die Arbeitsteilung, die einmal unter isolierten Stämmen in der Wildnis begonnen hat, umfasst heute praktisch die ganze Menschheit. Und die wenigen, die nicht daran teilnehmen können, gehören zu den Ärmsten der Erde. Am schlimmsten betroffen ist Afrika, dessen Länder im Verhältnis zum Rest der Welt immer weiter zurückfallen.

Prometheus

Ein Blick in die Zukunft

Im Winter des Jahres 1974 konnte man an zwei Sonntagen in der Bundesrepublik merkwürdige Dinge beobachten: Fußgänger und Radfahrer benutzten Autobahnen und Bundesstraßen, ohne fürchten zu müssen, überfahren zu werden. Die Bundesregierung in Bonn hatte zwei »autofreie Sonntage« angeordnet: Die Benutzung des Autos zu privaten Zwecken war verboten, um Energie zu sparen. Die Ölpreiskrise hatte eine Rezession ausgelöst und der Preis für Rohöl schien unaufhaltsam zu steigen. Die autofreien Sonntage waren nicht besonders sinnvoll, denn die Autofahrer holten einfach die versäumten Fahrten an anderen Tagen der Woche nach. Trotzdem blieben die beiden Sonntage allen, die sie erlebt hatten, im Gedächtnis. Sie wurden zum Symbol für die Grenzen des Wachstums, die der Weltwirtschaft gesetzt sind: Öl und andere natürliche Ressourcen auf der Erde sind begrenzt und die Menschheit hat nur diesen einen Planeten. Wenn sie ihn zerstört und die Ressourcen verbraucht, dann ist sie verloren. Die Zukunft der Weltwirtschaft entscheidet sich im Wesentlichen an der Frage, ob und wie die Menschen lernen, mit diesem Problem umzugehen.

Seit den Anfängen der Wirtschaft vor 10 000 Jahren bestand der Fortschritt immer darin, entweder neue Bereiche der Natur für den Menschen nutzbar zu machen oder aber das Vorhandene besser zu nutzen. Dem dienten letztlich alle Erfindungen der Wirtschaftsgeschichte, auch wenn dies den Beteiligten meist nicht klar war. Den Zusammenhang zwischen Natur und Wirtschaft haben erst die modernen Naturwissenschaften, die es seit dem 18. Jahrhundert gibt, entschlüsselt. Bewusst geworden ist es vielen Leuten während der Ölpreiskrise 1973/74. Der Ökonom *Nicholas Georgescu-Roegen* (1906 – 1994) hat die natürlichen Grenzen der Ökonomie zu Beginn der 70er Jahre des 20. Jahrhunderts auf sehr einprägsame Weise formuliert: Menschen brauchen, um überleben zu können, Energie – für ihre Nahrung und um sich vor Kälte zu schützen. Diese Energie ist überall in der Natur gespeichert, in Tieren, in Pflanzen und im Wasser, das den Berg hinunterläuft. Wir nutzen die Energie, indem wir Tiere und Pflanzen essen oder aus Wolle und Pflanzenfasern Kleider machen.

Nun kann Energie weder geschaffen noch zerstört werden; diesen Erhaltungssatz der Energie (erstes thermodynamisches Gesetz) haben Physiker entdeckt und bewiesen. Aber nicht nur das: Energie wird bei jedem Gebrauch weniger wert (zweites thermodynamisches Gesetz oder Entropiegesetz). Den Beweis kann jeder selbst durchführen: Man stelle einen heißen Teller Suppe in ein Zimmer und warte ab. Nach einiger Zeit ist die Suppe gleich warm wie die Zimmerluft: Die Hitze, also Energie, die darin gespeichert war, hat sich im Zimmer verteilt. Man kann sie jetzt auf keinen Fall mehr nutzen, etwa um noch eine Tasse Kaffee zu machen. Die Energie ist noch vorhanden, aber sie ist nutzlos im Zimmer verstreut. So ist das mit aller Energie, die die Menschen verbrauchen: »*Der Wirtschaftsprozess besteht*«, so schrieb Georgescu-Roegen, »*aus der kontinuierlichen Umwandlung von nutzbarer Energie in Abfall, oder, wie man heute sagt: in Umweltverschmutzung.*« Die Welt wäre also längst eine Ödnis, würde sie nicht beständig neue Energie bekommen, und zwar von der Sonne. Die Sonne bescheint die Erde, mit Hilfe ihres Lichts wandeln Pflanzen

Kohlendioxid und Wasser in Zellstoff und Zucker um. Davon ernähren sich Tiere und von diesen andere Tiere. Die Nahrungskette kann sich so immer wieder erneuern. Zwar wird sich in ein paar Jahrmilliarden auch die gesamte Energie der Sonne im Weltall verstreut haben, aber das ist so lange hin, dass es für die Menschen ohne Bedeutung ist.

Im Laufe ihrer Geschichte haben die Menschen gelernt, diesen Energiefluss immer besser zu nutzen. Georgescu-Roegen hebt besonders drei Erfindungen hervor, die er »prometheische Innovationen« nennt. Darin steckt der Name Prometheus, jener Held der griechischen Sage, der den Menschen gegen den Willen der Götter das Feuer brachte. Zur Strafe wurde er an einen Felsen gekettet, wo ihm ein Adler immer wieder seine nachwachsende Leber aushackte. Die drei nach Prometheus benannten Erfindungen sind: die Bändigung des Feuers, die Erfindung der Landwirtschaft und die Erfindung der Dampfmaschine.

Für die Zukunft der Menschheit ist besonders die letztere Erfindung entscheidend. Die Dampfmaschine – und mit ihr alle anderen Verbrennungsmaschinen (Diesel- und Benzinmotoren) erlauben es, auch Sonnenenergie zu nutzen, die in der Erdkruste gespeichert ist: Kohle, also versteinertes Holz, und Erdöl (Reste urzeitlicher Tiere und Pflanzen). Dank Kohle und Öl konnte die Wirtschaft in den letzten zweihundert Jahren viel schneller wachsen als je zuvor; deren Verbrennung verursachte aber auch riesige Umweltschäden und brachte das Weltklima durcheinander. In welchem Umfang dies bereits geschehen ist, weiß gegenwärtig niemand genau. Außerdem gehen die Vorräte an Öl und Kohle unweigerlich zur Neige. Ob das nun in hundert oder fünfhundert Jahren der Fall sein wird – die Frist ist sehr kurz, gemessen an der bisherigen Menschheitsgeschichte.

Wie es mit der Weltwirtschaft weitergeht, hängt ganz entscheidend davon ab, ob die Menschen lernen, mit den Grenzen der Natur umzugehen. Das Problem ist so groß, dass viele nachdenkliche Menschen darüber verzweifeln und den Untergang der Menschheit erwarten. Es gibt allerdings auch Grund zum Optimismus: Viele Wege stehen den Menschen zur Verfügung, um mit ihrer Erde sorgsamer umzugehen: die Suche nach neuen Techniken der Energienutzung, Energiesparen, bessere Nutzung der vorhandenen Technik, Begrenzung des Bevölkerungswachstums. Wenn man die Probleme ernst nimmt, kann die Wirtschaftswissenschaft dazu einen wichtigen Beitrag leisten.

Und damit kehren wir an den Anfang unseres Buches zurück: Das erste Ökonomiebuch der Welt beschäftigte sich damit, wie man ein antikes Landgut, einen *oikos*, am besten bewirtschaftet. Heutzutage umfasst der *oikos* den gesamten Globus, und die Verantwortung für die Zukunft dieses globalen Landgutes liegt bei denen, die es bewirtschaften.

Sachregister

Absolutismus 95
Abwertung 157
Ackerbau 18
Adam Opel AG 155
Aktien 91, 136, 156
Aktiengesellschaft 131, 132-136, 188
Aktienkurs 194
Aktionär 132, 135, 136, 156, 189
Aktiva 57
Allgemeine Elektricitätsgesellschaft (AEG) 132, 134
Allgemeines Zoll- und Handelsabkommen (GATT) 175, 196
Angebot 51, 52
Anleihen 118, 155
Arbeit 15, 17, 22, 43-47, 76, 115, 124, 182
Arbeiterbewegung 127
Arbeitslosenunterstützung 157
Arbeitslosigkeit 156, 159, 176, 181-183, 193
Arbeitsplätze 151-153, 182, 186
Arbeitsteilung 18, 19, 22, 23, 27, 48, 111, 112, 166, 196
– internationale 145, 176
Arbeitszeit 61, 123, 127, 138
Aufschwung 152, 193
Aufsichtsrat 136
Ausgaben 56, 100
Außenhandel 100

Austausch 68

Bank 43, 80, 85, 117, 120, 122, 136, 156
Bankier 80, 120
Betriebswirtschaftslehre 189
Bilanz 57, 98, 136, 189
Börse 89, 90-93, 120, 155, 195
Börsengeschäfte 90
Brückenzölle 97
Bruttoinlandsprodukt 106
Bruttosozialprodukt 106
Buchführung, doppelte 54-57, 83
Bundeskartellamt 172

Daimler-Benz AG 133
Dampfmaschine 114, 199, 200
Deflation 157
Demokratie 37, 38, 155, 157
Depression 157
Deutsche Bank 136
Devisenmärkte 194
Dresdner Bank 136

Eigentum 35-37, 71
Einnahmen 56, 100
Einzelwirtschaften 48
Ertrag 18, 19, 81, 91
Europäische Wirtschaftsgemeinschaft (EWG) 176
Export 61, 98, 100, 181

Fabriken 61, 113-116, 126-128
feilschen 22, 23
Fernhandel 52, 82

Finanzmärkte 193, 196
Firma 56, 57, 83
Fonds 195
Freihandel 109, 111, 149

Gegenleistung 23, 29
Gehälter 186, 188
Geld 31, 33, 34, 41, 50, 52, 57
60, 77-79, 81, 186, 188, 191,
193
Geldbedarf 102
Geldfluss 58
Geldgeber 57, 84
Geldleiher 79
Geldmenge 193
Geldverkehr 77
Geldwechsler 79
Geldwert 168, 192
General Motors 155
Genossenschaften 163
Geschäftsabschluss 136
Geschäftsbücher 56, 57
Geschäftsvorgänge 57
Geschenk/Gegengeschenk
21-23, 68
Gesellschafter 188
Gesellschaftsvertrag 86
Gewerkschaften 127, 170,
179, 182, 183, 194
Gewinne 57, 92, 94, 151
Gewinn-und-Verlust-Rech-
nung 136
Gläubiger 95
Globalisierung 101, 190, 196
Gold 32, 33, 77, 78
Goldstandard 145, 153
Grund und Boden 79, 128

Grundrente 181

Handel 20, 22-29, 31, 33, 37, 41,
45, 49, 50, 51, 55, 64, 68, 69, 78,
83, 88, 99, 103, 105, 196
Handelsbilanz 98, 101
Handelsgut 24, 33
Handelshof 83
Handelsliberalisierung 111
Handelspartner 99
Handelsplatz 64, 89
Handelsstationen 72
Handelsstraßen 83
Handelssystem 69
Handelsüberschuss 101
Händler 29, 50, 52, 56
Hertie 139

Importe 98, 99, 100
Industriegruppe Farben 171
Inflation 100, 154, 155, 192
Internationale Bank für Wie-
deraufbau und Entwicklung
175
Internationaler Währungs-
fonds (IWF) 175

Kapital 83, 84, 86, 116
Kapitalangebot 92
Kapitalismus 116, 147, 162,
187, 191, 192
Kapitalmarkt 122
Kartell 52, 168, 171, 193
Käufer 51, 74
Kaufleute 31, 37, 55-57, 60,
64, 80, 95
Kaufmannsgeschäfte 83

Konjunktur 152, 159
Konkurrenz 110, 171
Konsumenten 110, 138
Konsumgut 138
Kosten 60, 183, 186, 187
Kredit 79, 81, 82, 88, 136,
 151, 156, 159
Kreislauf der Wirtschaft 104
Krise 187
Kunden 187
Kurse 92, 156

Landwirtschaft 9, 14-16, 25,
 27, 35, 36, 45, 171, 199
Lehen 48
Leibeigenschaft 42
Leistung 23, 29
Leistungsbilanz 101
Liquidität 78
Lohn 123, 126, 127, 138, 154,
 159, 182
Luxusgüter 64, 97

Management 185, 186, 189
Manager 186, 188, 189
Manufakturen 97, 98, 112, 113
Märkte 50, 51, 134, 158, 163
Marktplatz 48, 50
Marktwirtschaft 165, 191
 – soziale 167, 170
Marshall-Plan 173-174
Merkantilismus 97, 103
Messen 89
Monetarismus 193
Monopol 91, 110, 168
Münzen 32-34, 51, 77
Nachfrage 51, 52

Nationalökonomen 111
Nettoprodukt 104, 105
Notenbank 157, 192, 193

Ökonomen 102, 168
Ökonomie 19
Organisation der Erdöl
 exportierenden Länder
 (OPEC) 193
Ostindische Kompagnie 91,
 144, 147

Passiva 57
Planwirtschaft 164, 165
Porzellanmanufaktur Meißen
 98
Preis 23, 50, 51, 93, 100, 138,
 139, 171
Preiserhöhung 52
Preiskonkurrenz 139
Preisverfall 157
Privateigentum 35-39, 41, 43,
 128
Privatvermögen 135
Produkte 49, 115, 138
Produktion 98, 110, 116
Produktionskosten 138
Produktionsmittel 128
Produktivität 76, 113
Produktivkraft 105
Produzent 97, 110
Protektionismus 100

Recht 40-42
Reichsmark 167
Reichtum 31, 34, 36, 62, 85,
 86, 96, 116

Renten 179
Rezession 152, 157, 193, 197
Risiko 91
Royal Exchange 120, 121

Schiffsbeteiligungen 91
Schulden 47, 79
Schuldknechtschaft 44, 79
Schuldner 78
Schuldscheine 90
Schwarzer Freitag 155
Schwarzmarkt 167
Sozialausgaben 181
Sozialgesetze 176
Sozialismus 130, 162
Sozialstaat 178, 180, 182, 183
Sparbücher 155
Spekulanten 91, 92, 120, 121,
  193, 195
Spekulation 92-94
Staat 25, 37-39, 95-98, 109,
  159, 168, 178, 179, 195
Staatsanleihen 118-121, 154, 192
Staatsbankrott 87, 120
Staatseigentum 194
Staatshaushalte 157
Steuern 26, 36, 96, 97, 105,
  182, 192
Syndikate 171

Tableau économique 104
Tausch 29, 33
Tauschhandel 30, 50
Teuerung 100

Überschuss 16, 25, 98, 101,
  104

Unternehmen 185
Unternehmer 131-133, 151, 168

Verbraucher 110, 138, 142
Verkäufer 51, 74
Verleiher 79
Verluste 151
Versicherungen 81, 155
Verträge 29, 30, 36, 79
Verwaltung 25
Viehzucht 18
Volkseinkommen 108
Volksheim 181
Volkswirtschaften 182, 183
Vorstand 136

Wachstum 151, 192
Währung 80, 192, 193
Währungshändler 195
Währungsreform 77, 168,
  169
Währungssystem 145, 192
Wall Street 155
Waren 22, 25, 28-31, 40, 51-
  53, 62, 65, 77, 83, 98, 99,
  139, 175, 186, 192-193
Warenaustausch 22
Warenverkehr 153
Wechsel 77, 80, 81, 90
Wechselkurse 192, 193
Wegezölle 97
Weltbank 175
Welthandel 157, 175
Welthandelsabkommen
  GATT 196
Welthandelsorganisation
  (WTO) 196

Weltwirtschaft 64, 197
Weltwirtschaftskrise 152,
153, 155, 180, 185, 186
Werbung 141
Wettbewerb 52, 108, 111,
134, 158, 167-172
Wirtschaft 19, 41, 95
Wirtschaftskraft 96, 153
Wirtschaftskrise 152, 153,
155
Wirtschaftsliberalismus 111
Wirtschaftsmacht 37
Wirtschaftsordnung 162, 170
Wirtschaftspolitik 96, 158
Wirtschaftsprozess 198
Wirtschaftswunder 170
Wohlfahrtsstaat 177, 178,
181, 182
Wohlstand 18, 19, 45, 93, 97,
111, 140, 170, 171
Wucherer 79

Zinsen 34, 78, 79, 85, 151,
192, 193
Zölle 97, 99, 100, 109, 148,
175
Zünfte 52
Zwischenhändler 72

Namenregister

Abel 18
Adam 18
Aristoteles 38, 108

Benedikt von Nursia 45, 46
Benz, Carl 133
Bismarck, Otto von 148, 179
Blücher, Gebhard Leberecht
120
Bower, Marvin 185-188

Chaplin, Charlie 138
Cicero, Marcus Tullius 44, 45
Clay, Lucius 169
Colbert, Jean-Baptiste 97, 98
Conrad, Joseph 149

Daimler, Gottlieb 133
Descartes, René 103
Dickens, Charles 126
Drucker, Peter 189

Edison, Thomas Alva 131
Engels, Friedrich 115, 125,
128, 129
Erhard, Ludwig 168, 169,
170, 171, 173
Erlander, Tage 181
Eucken, Walter 168
Eva 18

Ferdinand, Franz 150
Ferdinand I., Kaiser 87
Ferdinand II., span. König
66, 68, 77

Fogel, Robert 76
Ford, Henry 133, 137, 138,
  142, 143, 188
Franz I. von Frankreich 87
Friedman, Milton 193, 194
Fugger, Anton 88
Fugger, Georg 86
Fugger, Hans 82, 83
Fugger, Jakob 83, 84, 86, 88
 – der Alte 83
 – der Reiche 84, 178
Fugger, Markus 88
Fugger, Ulrich 86

Georgescu-Roegen, Nicholas
  199
Gorbatschow, Michail 166

Habsburg, Siegmund von 84
Hegel, Friedrich 128
Heine, Heinrich 122, 126
Herodot 22, 34
Hitler, Adolf 149, 152, 158
Houtman, Cornelius 90
Hume, David 107

Isabella, span. Königin 66, 77
Ischtar, Göttin 33

Johnson, Lyndon B. 192

Kain 17, 18
Kant, Immanuel 103
Karl der Große, Kaiser 49
Karl I., span. König 87
Karstadt, Rudolph 139
Kennedy, John F. 191, 192

Keynes, John Maynard 158,
  159, 160, 175
Khan, Kublai 62
Kisch, Egon Erwin 138
Kolumbus, Christoph 66-68
Kopernikus, Nikolaus 65
Krösus 34
Krupp, Friedrich 133

Lenin, Wladimir Iljitsch 147,
  161-163
Leontief, Wassily 105
Litfaß, Ernst Theodor Aman-
  dus 142
Ludwig XIV., franz. König
  96, 97, 102, 112
Ludwig XV. 102
Luther, Martin 88
Luxemburg, Rosa 147

Malthus, Thomas 126
Marshall, George C. 173
Marx, Karl 128, 129, 130,
  147, 162
Maximilian I. 84-87
McKinsey, James O. 186, 187
Midas 34
Miksch, Leonhard 168
Mises, Ludwig von 36
Mumford, Lewis 61

Napoleon Bonaparte, franz.
  Kaiser 119, 120
Newton, Isaac 103
Nixon, Richard 192
Nobel, Alfred 181

Olson, Mancur 26

Pacioli, Luca 56, 62
Perikles 38
Philipp II, span. König 87
Pippin der Jüngere, fränki-
scher König 49
Polo, Marco 62
Pompadour, Marquise de 102
Princip, Gavrilo 150
Proudhon, Pierre-Joseph 36

Quesnay, François 102-106,
111

Rathenau, Emil 131, 132,
134, 188
Reagan, Ronald 194
Rhodes, Cecil 144
Ricardo, David 111
Ringmann, Matthias 67
Rockefeller, John D. 133
Roosevelt, Franklin D. 160,
173
Röpke, Wilhelm 168
Rothschild, James 119
Rothschild, Karl 120
Rothschild, Mayer Amschel
117-119
Rothschild, Nathan 117, 119,
120, 121, 123, 132
Rothschild, Salomon 120

Schmalenbach, Eugen 189
Schumpeter, Joseph 133
Schwarz, Matthäus 83
Shirer, William 177

Siemens, Werner von 132, 188
Smith, Adam 76, 107-111,
112, 170
Soros, George 195
Stalin, Josef 162-164
Strauss, Levi 133, 188

Thatcher, Margaret 183, 194
Tietz, Hermann 139, 140
Tietz, Leonhard 139, 140

Urban II., Papst 54

van de Beurse 89
Vasco da Gama 64, 65
Vergil 34
Vespucci, Amerigo 67
Victoria, engl. Königin 144
Voltaire 103

Washington, George 75
Watt, James 114
Watteau, Jean-Antoine 102
Wellington, General 120
Wertheim, Georg 139
White, Harry D. 175
Wilhelm I., deut. Kaiser 179
Wilhelm II., deut. Kaiser 147,
154
Wilhelm, von Hessen 118,
119

Xenophon 18-19

Zeiss, Carl 133
Zwingli, Ulrich 88